Ortografía española

I

LETRAS Y ACENTOS

María Teresa Cáceres Lorenzo

Marina Díaz Peralta

UNIVERSIDAD DE
ALCALÁ

ANAYA ñ ELE

Equipo de la Universidad de Alcalá
Dirección: María Ángeles Álvarez Martínez

Programación: María Ángeles Álvarez Martínez
          Ana Blanco Canales
          María Jesús Torrens Álvarez

Autoras: María Teresa Cáceres Lorenzo
        Marina Díaz Peralta

© Del texto: Alcalingua, S. R. L., de la Universidad de Alcalá, 2002
© De esta edición: Grupo Anaya, S. A., 2002
                Juan Ignacio Luca de Tena, 15 - 28027 Madrid

Depósito legal: M-7809-2002
ISBN: 84-667-0076-5
Printed in Spain
Imprime: Coimoff, S. A. Madrid

Equipo editorial
Edición: Milagros Bodas, Carolina Frías, Sonia de Pedro
Equipo técnico: Javier Cuéllar, Laura Llarena
Cubiertas: Taller Universo: M. Á. Pacheco, J. Serrano
Diseño de interiores: Ángel Guerrero

Expresamos nuestro agradecimiento al Vicerrectorado de Investigación de la Universidad de Alcalá, por el proyecto subvencionado "Frecuencia de uso y estudio del léxico con especial aplicación a la enseñanza del español como lengua extranjera" (II004/2000); y muy especialmente al Vicerrector de Extensión Universitaria de esta Universidad, profesor Antonio Alvar Ezquerra, por haber acogido con entusiasmo nuestro proyecto y habernos prestado desde sus comienzos su inestimable apoyo y ayuda.

Presentación

El libro que ahora presentamos, perteneciente a la colección COMO APOYO, incluye una descripción de las letras del español y de las reglas de ortografía y de acentuación. Está dirigido a estudiantes de español como lengua extranjera que ya tengan un nivel medio. Aquí encontrarán de forma clara la información necesaria ante posibles dudas ortográficas, además de ejercicios que les permitirán practicar cada una de estas reglas.

Está compuesto por cuatro capítulos en los que se explican las letras españolas, el uso de las mayúsculas y minúsculas, las reglas ortográficas de las consonantes, así como los grupos consonánticos y vocálicos, y finalmente la acentuación en español. Después de cada una de las explicaciones hay uno o dos ejercicios que permiten practicar lo que se ha aprendido.

Al final del libro se dan las soluciones a los ejercicios. Por ello, puede ser usado como obra de AUTOAPRENDIZAJE o bien como complemento en las clases de español.

Aunque concebidos como volúmenes que pueden ser consultados de forma independiente, *Ortografía I* y *Ortografía II* son complementarios, ya que ambos presentan todas las reglas –de obligado conocimiento– para que un texto esté correctamente escrito.

Índice

1. LETRAS ESPAÑOLAS 7

2. MAYÚSCULAS Y MINÚSCULAS 10

3. REGLAS Y USOS DE LAS LETRAS 15

    3.1. B, b 15

    3.2. V, v 28

    3.3. W, w 33

    3.4. C, c 34

    3.5. K, k 36

    3.6. Q, q 37

    3.7. c, k, q 38

    3.8. Z, z 40

    3.9. c, z 41

    3.10. G, g 43

    3.11. J, j 52

    3.12. g, j 57

    3.13. H, h 59

    3.14. Ll, ll 65

    3.15. Y, y 68

    3.16. m, n 70

    3.17. r, rr 71

    3.18. X, x 73

    3.19. d, t 76

    3.20. Grupos consonánticos y vocálicos 77

4. ACENTUACIÓN 78

SOLUCIONES 93

1 LETRAS ESPAÑOLAS

EL ABECEDARIO DE LA LENGUA ESPAÑOLA

A	B	C	D	E	F	G	H	I	J	K	L	M	N
a	b	c	d	e	f	g	h	i	j	k	l	m	n
a	be, be alta o be larga	ce	de	e	efe	ge	hache	i	jota	ka	ele	eme	ene

Ñ	O	P	Q	R	S	T	U	V	W	X	Y	Z
ñ	o	p	q	r	s	t	u	v	w	x	y	z
eñe	o	pe	cu	ere	ese	te	u	uve	uve doble	equis	i griega o ye	zeta, zeda, ceta o ceda

El español tiene varios dígrafos: *ch, ll, rr, qu* y *gu*. Estos signos ortográficos equivalen a dos letras y representan un fonema:

– **ch** representa el fonema africado palatal sordo: *chapa, chuleta*. Desde 1994, su lugar en el abecedario es como *c + h*, y se incluye en la letra *c*. Su nombre es *che*.

– **ll** representa el fonema lateral palatal sonoro: *llamar, llover*. En el abecedario español se incluye en la letra *l*, como *l + l*. Recibe el nombre de *elle*.

– **rr** representa el fonema vibrante múltiple: *carro, arrugar*. Se coloca en la *r* como *r + r*. Recibe el nombre de *erre*.

– **qu** representa el fonema oclusivo velar sordo (delante de *e, i*): *querer, quitar*. En el alfabeto sigue a la *p*. Se llama *cu*.

– **gu** representa el fonema velar sonoro (delante de *e, i*): *guerra, guiñol*. Se ordena en la letra *g* como *g + u*. La *u* en este caso no se pronuncia.

En algunas palabras la *u* debe aparecer con el símbolo de la diéresis y la *u* se pronuncia: *paragüero, vergüenza*. En este caso no se considera dígrafo.

EJERCICIO 1

Rellena los espacios en blanco.

a) univer…idad

b) compo…ición

c) medio…ía

d) ba…eta

e) cáma…a

f) e…tudio

g) e…tribo

h) ga…ina

i) ser…ir

j) cu…tir

k) malo…rar

l) la…rar

m) empo…recer

n) re…ervar

ñ) a…oz

o) a…dor

p) ju…ar

q) ele…ar

r) desapa…ecer

s) teso…o

t) di…itir

u) ortogra…ía

v) naturale…a

w) …eneral

x) e…tar

y) porto…iqueño

EJERCICIO 2

Completa con las letras que faltan.

a) Cuando hay fiesta en el pueblo …egan las ba…acas de fe…ia.

b) Los conquistadores a…asaron al …egar al nuevo te…itorio.

c) Es muy t…avieso y sólo piensa en ba…abasadas.

d) El Ba…i…erato español te permite …egar a la Universidad.

e) Juan es un pob…e cu…ante.

f) La ca…etera tiene un g…an ba…e.

g) Este t…abajo está …eno de e…atas.

h) Es tan testa…udo que sigue e…e que e…e con su negocio.

i) El bo…acho sigue cantando en la ca…e.

j) Las pue…tas de la escuela se fab…icaron con hie…o forjado.

k) Ma…cos es una persona muy i…itable.

l) El ca…o de…apó en la ca…etera coma…cal.

m) El de…umbe del edificio salió muy ca…o al Ayuntamiento.

n) Ayer fui al entie...o.

ñ) Estoy de...engado de la mudanza.

o) A...incona los juguetes del niño.

p) La b...ocha no debe se... ni g...ande ni pequeña, sino mediana.

q) Al ...egar a Salamanca descub...imos una ciudad con dos cated...ales.

r) La Gue...a de los Cien Años no du...ó tanto tiempo.

s) Después de aquel fle...azo sigo enamo…ado y nuestra relación du...a ya dos años.

t) Al...unos van a la ...ocolatería a come... mu...os ...urros.

u) Ese mu...acho come demasiado ...ocolate.

v) Del co...ino sacamos los ...orizos.

w) La ...uardia detuvo a ...inientos ladrones el año pasado.

x) El ...irigay que salía de tu coche alertó al ...uardia.

y) El güis...i se suele combinar con un refresco.

z) Me ...ustan los ...isos caseros.

EJERCICIO 3

Completa con las letras que faltan y une cada frase con su significado.

CADA OVEJA CON SU PAREJA

a) a…imar el ascua a su sardina

b) dar en el …lavo

c) vamos en el coche de San Ferna…do: unos a pie y otros andando

d) yo me la…o las manos

e) lle…ar en volandas

f) te…er entre algodones

g) no ca…er un alfiler

h) es…ar entre dos aguas

1. tener dudas

2. aprovechar las ocasiones en beneficio propio

3. estar lleno

4. por el aire, con cuidado

5. tratar con delicadeza

6. forma humorística de decir que no se tiene coche u otro vehículo, por lo que sólo se puede ir andando

7. acertar

8. rechazar responsabilidades

2 MAYÚSCULAS Y MINÚSCULAS

SOBRE LAS MAYÚSCULAS

Las mayúsculas son aquellas letras que se escriben en un tamaño mayor:
Antonio

Estas letras deberán llevar tilde si es necesario:
Ángeles
Íñigo

En los llamados dígrafos *(ll, ch, rr, gu y qu)*, sólo se escribe en mayúscula la letra inicial:
Llorente
Chillida
Guerrero
Quevedo

La *i* y la *j* mayúsculas se escriben sin punto:
Ignacio
Javier

REGLAS DE USO DE LA MAYÚSCULA

Se escriben con mayúscula:

La letra inicial de la primera palabra de un escrito:
Las clases comienzan en agosto...

La letra inicial de la primera palabra después de un punto:
Las clases comienzan en agosto, y en julio pienso comprarme el material. También quiero comprar una mochila.

Después de puntos suspensivos cuando éstos cierran un enunciado, o detrás de un signo de interrogación (?), o de admiración (!), si no se interponen coma, punto y coma o dos puntos:
Le llamo o no... Bueno, le llamaré.
Le llamo o no..., bueno, le llamaré.
Mañana celebramos el cumpleaños de Ambrosio, ¿vendrás al cumple? Será en la cafetería San Sebastián.

En las cartas, la primera palabra después de los dos puntos que siguen al saludo:

Estimado compañero:

Me pongo en contacto contigo, para comunicarte que...

Cuando se reproducen palabras textuales:

El niño contestó: "Yo soy hijo de Luis".

Los nombres propios, los apellidos, nombres geográficos y las dinastías:

*Mi hermano se llama **Manolo**, y yo soy **Marcos**. Los dos nos apellidamos **Rodríguez** por mi padre y **Jiménez** por mi madre. Nacimos en las **Islas Canarias**, lugar en el que también compramos a nuestro mono **Amelio**, que para nosotros es parte de la familia, aunque su lugar de nacimiento sea **La Habana**, en **Cuba**. Como somos solteros y no tenemos hijos, **Amelio** seguirá los apellidos **Rodríguez** y **Jiménez**.*

***Juan Carlos I** es el rey de **España**, y su hijo **Felipe** continuará la dinastía de los **Borbones**.*

Los apodos o sobrenombres:

***Santa Teresa**, **Doctora de la Iglesia**.*

***Simón Bolívar**, el **Libertador**.*

*Es tan tacaño que le llamamos **Puño Cerrado**.*

Las siglas:

*La **ONU** defiende los intereses de todos los países.*

*La **OMS** cuida de la salud mundial.*

Los nombres de las estrellas, planetas o astros y los signos del Zodiaco:

*La **Tierra** es redonda.*

*Yo soy **Sagitario**.*

Los nombres de los puntos cardinales:

*La **Estrella Polar** indica el **Norte**.*

Los nombres de las divinidades y sus atributos:

*El sacerdote alaba a **Dios Todopoderoso**.*

Los libros sagrados y las órdenes religiosas:

*En el **Carmelo**, las carmelitas deben leer cada día un pasaje de la **Biblia**.*

Los nombres de instituciones, organismos, partidos políticos, asociaciones:

*El **Ayuntamiento** cobra las multas de tráfico en la ventanilla 10.*
*La **Universidad Complutense** de Madrid matricula un gran número de estudiantes.*
*El **Partido Liberal** tiene una sede en la calle Alcalá.*

En algunos casos, ciertos nombres colectivos con un sentido absoluto:

*El **Estado** recauda los impuestos en el mes de mayo.*
*La **Iglesia** se extiende por todo el mundo.*
*El papel de la **Justicia** fue muy importante en la transición democrática,*
pero: *La víctima pedía justicia al juez.*

Los nombres de las disciplinas científicas:

*Estudié **Biología** en Santander, y ahora estoy haciendo el doctorado en **Botánica** en Alcalá de Henares.*

Las advocaciones de la Virgen y las fiestas religiosas o civiles:

*El **Pilar** es una fiesta mariana que se celebra el 12 de octubre.*
*El 1 de mayo es el **Día del Trabajador**.*

Los nombres con los que se conocen los santos:

San Ignacio (por San Ignacio de Loyola).

Las abreviaturas de las formas de tratamiento:

S.A.R. (Su Alteza Real).
S.E. (Su Excelencia).

Las marcas comerciales:

Cola-Cao, Seat.

Los títulos de las obras:

*El **Quijote** fue escrito por Cervantes.*

Los sustantivos y adjetivos de publicaciones periódicas:

*La **Revista Americana** de Estudios **Teológicos** se publica una vez al año.*

REGLAS DE USO DE LA MINÚSCULA

Se escriben con letra inicial minúscula los nombres de los días de la semana, de los meses y de las estaciones del año:

*La **primavera** nos trae un tiempo muy variable. En una misma semana puede llover de **lunes** a **miércoles**, y el **jueves** amanecer un día maravilloso que puede llegar hasta el **domingo**. Este tiempo de **marzo** a **junio** provoca muchas alergias.*

En español es posible que algunos de los casos citados para las mayúsculas aparezcan en minúscula de forma correcta si se usan con otros significados:

Los nombres de las estrellas, de los astros o de los planetas si se hace referencia a hechos relacionados con ellos y a su acción o los fenómenos que se derivan de ellos:

*Me quemé con el **sol** este verano.*

*Pedro es muy despistado y todos dicen que vive en la **luna**.*

*Hay **luna** llena.*

La palabra *tierra* se usa en minúscula cuando se refiere a la materia, y no al planeta en el que vivimos:

*Tus argumentos echan por **tierra** mis proyectos de futuro.*

*Estas legumbres son de mi **tierra**.*

Los signos del Zodiaco van en minúscula cuando designan a las personas nacidas bajo ese signo:

*Todos los que hayan nacido en marzo serán **piscis**.*

Los puntos cardinales se escriben en minúscula cuando se emplean como genéricos y se refieren a la orientación o la dirección:

*Esa estrella orienta a los marineros hacia el **norte**.*

*Mi casa está situada en el lado **sur** de la ciudad.*

Las materias científicas que no se usen con el sentido de disciplinas:

*No puedo entender tu **filosofía** de trabajo.*

El nombre de una marca puede usarse como un nombre común:

*Siempre tomo un **cola-cao** (bebida de leche y chocolate) antes de acostarme.*

Un nombre propio que se utiliza para designar un género o una clase de objetos o personas también irá en minúscula:

*Después del accidente parecía un **cristo**.*

EJERCICIO 4

Escribe mayúsculas cuando sea necesario.

siempre fui aficionado a escuchar conversaciones ajenas. en el autobús, en la panadería, o mientras compro una cajetilla de tabaco en el estanco de jiménez. Esta afición me viene porque soy géminis.

cuando era estudiante de biología siempre me presentaba a delegado de mi clase para meterme en todos los líos, y de paso enterarme de todos los problemas de mis compañeros.

a veces oigo historias tristes sobre hijastros no queridos o mujeres maltratadas, otras son divertidas y otras muy aburridas.

pero el jueves pasado pude escuchar lo que un señor de pelo rojizo le decía a su interlocutor. preparaba un jugoso plan para matar a su odiado jefazo. lo haría de esta forma: al terminar la jornada, lo esperaría en una de las bajadas del metro, en la parada las jarchas, y en una esquina de un pasillo oscuro le clavaría un cuchillo.

la idea de impedir el asesinato quedó impresa en mi mente con fijeza. el plan del empleado era sencillo, pero no sabía cómo darle jaque al asesino* y evitar el crimen sin poner en peligro mi propia vida.

por fortuna, el destino, con mi inestimable ayuda, tenía preparada una jugarreta al presunto homicida. seguí al pelirrojo hasta la boca del metro donde pensaba llevar a cabo su plan, pero allí un músico armaba mucha jarana.

entonces, cambió de lugar mientras acechaba a su víctima, pero allí había un indigente, y lo mismo sucedió en cada una de las esquinas. pero, por fin, el asesino dio con un pasillo solitario en el que apostarse.

en ese momento entré en escena y me senté en el suelo, extendí mi chaqueta jaspeada y alargué mi mano como cualquier pedigüeño. ¡y coló! por suerte el casero me había dejado sin agua por falta de pago, y llevaba una semana sin ducharme y sin afeitarme. desesperado, el hombre de pelo rojo salió del metro y se perdió entre la muchedumbre.

después del susto, me levanté y con rapidez fui a la jefatura de policía.

---

* *Darle jaque a alguien:* en este caso, impedir sus planes, atraparlo.

3 REGLAS Y USOS DE LAS LETRAS

ORTOGRAFÍA ESPAÑOLA

La ortografía es la parte de la gramática que establece los principios normativos de la recta escritura de las palabras, del empleo de los signos de puntuación, de la acentuación, del uso de las mayúsculas, etc.

La lengua española posee una ortografía que se fundamenta en tres principios:

— El seguimiento de la pronunciación de las palabras:
Ocho *proviene del latín* OCTO, *y* CT *evoluciona y ahora se pronuncia <ch>*.

— La conservación de la etimología:
Casa *proviene del latín* CASA, *y las letras del étimo pasan fielmente al español*.

— El respeto a la tradición:
Barrer *proviene del latín* VERRERE; *la* b *no procede del étimo, pero se conserva porque se comenzó a escribir esta palabra con <b> con el reajuste ortográfico del siglo* XVI.

La encargada de establecer estas reglas desde 1713 es la Real Academia Española (RAE) con su lema "Limpia, fija y da esplendor". Esta institución, junto con las otras academias americanas y la de Filipinas, ha publicado la *Ortografía de la lengua española* (1999).

En la actualidad, la Real Academia tiene una página en Internet: **www.rae.es**

3.1 B, b

Se escriben con *b*

Los verbos terminados en *-bir: escribir, recibir, sucumbir, prohibir, inhibir*. Excepciones: *hervir, servir, vivir* y sus compuestos: *convivir, malvivir, pervivir, sobrevivir*, etc.

EJERCICIO 5

Escribe *b* o *v*.

a) Voy a perci...ir mucho dinero por este trabajo de carpintería.

b) No puedo vi...ir con esa duda: ¿quién marcó el último gol del partido?

c) Al escri...ir sólo pienso en mis ganas de ser famoso.

d) ¿Has her...ido los utensilios antes de hacer la cura?

e) El derecho del pasajero prescri...e a los diez días.

f) Al su...ir no mires hacia abajo.

g) Descri...e fielmente todo lo que veas y serás un buen periodista.

h) No creo que vi...a en una casa con tantos vecinos.

i) Pienso que reci...iré la novela por correo.

j) Las flores revi...en con el agua de la lluvia.

k) No sobrevi...iré en esta ciudad sin un trabajo fijo.

> Los verbos terminados en *-buir: atribuir, contribuir, distribuir, imbuir, retribuir.*

EJERCICIO 6

Escribe *b* o *v*.

a) Algunas obras se atri...uyen al español Picasso.

b) María tiene un trabajo bien retri...uido.

c) Un buen director de colegio debe estar im...uido de las leyes pedagógicas de la reforma educativa.

d) Mañana iré a pagar la contri...ución de la casa en el Ayuntamiento.

e) Si vi...es a las afueras de la ciudad tendrás que comprarte un coche.

f) El colegio de arquitectos se ha atri...uido toda la responsabilidad del accidente.

g) Esas condiciones económicas sólo me permiten malvi...ir.

h) No creo que hier...as la leche a cada momento.

Los verbos *beber, caber, deber, haber* y *saber.*

EJERCICIO 7

Construye frases con los siguientes términos teniendo en cuenta sus diferentes acepciones.

a) Beber, 'tragar un líquido'.

b) Beber, 'tomar licores u otras bebidas alcohólicas'.

c) Caber, 'poder contenerse una cosa dentro de otra'.

d) Caber, 'ser posible o natural'.

e) Deber, 'estar obligado a algo'.

f) Haber, 'hacienda, conjunto de bienes'.

g) Saber, 'tener habilidad para una cosa'.

EJERCICIO 8

Completa las frases con los verbos *beber, venir* y *vivir* en la forma correcta.

a) María .... de México.

b) .... siempre con moderación.

c) ¡............... a nuestra fiesta!

d) ¿............... muchos años en España?

e) Si vas a conducir, no ....

f) En este atlas no .... ese nuevo territorio.

g) Los buenos recuerdos .... en nuestra memoria.

h) Esta casa .... a costar unos 150.000 euros.

i) Los viernes por la noche estoy que no .... por culpa de mis hijos.

j) Nos gusta .... un vaso de vino en las comidas.

k) El niño enfermo .... pidiéndome golosinas y yo no se las compraba.

l) ¡..............., date prisa!

m) Después de muchos años, Ana .... por fin a pedirnos perdón.

EJERCICIO 9

Completa los espacios en blanco y busca las palabras en la sopa de letras.

atri...uir

...arrer

...izcocho

ca...er

cohi...ir

conce...ir

mal...a

mo...er

ser...ir

...i...ir

A	I	O	N	M	M	A	L	V	A	B	O
B	U	P	U	L	O	L	L	A	B	U	O
B	A	T	I	O	V	K	B	V	A	A	I
V	C	O	N	C	E	B	I	R	B	T	F
B	A	I	L	B	R	Z	Z	V	C	R	H
B	B	V	V	B	V	X	C	V	D	I	F
S	E	R	V	I	R	U	O	O	E	B	E
X	R	B	I	V	B	V	C	P	F	U	D
Y	U	B	V	N	C	O	H	I	B	I	R
R	T	V	I	B	M	M	O	P	G	R	C
B	A	R	R	E	R	N	N	B	H	A	B

Las terminaciones *-aba, -abas, -ábamos, -abais, -aban* del pretérito imperfecto del indicativo de los verbos de la 1.ª conjugación: *bajabas, amaban.*

El pretérito imperfecto de indicativo del verbo *ir:*

yo *iba*   nosotros *íbamos*

tú *ibas*   vosotros *ibais*

él *iba*   ellos *iban*

EJERCICIO 10

Completa con *b* o *v.*

En ...erano ...a...andonamos Se...illa y nos fuimos a La Rioja para conocer algunas ciudades del norte de España que no ha...íamos ...isitado. Apro...echamos este ...iaje para ...er a amigos que por la distancia no ...emos a menudo. Una de esas ...isitas fue la que hicimos a nuestros profesores ...erónica y ...orja.

Cuando hicimos la ...isita y está...amos en casa de nuestra antigua profesora de Biología, nos enteramos de que, por una sustitución, actualmente ...erónica enseña...a Física en un instituto de Secundaria en Na...arra. Í...amos a merendar chocolate con churros y otros ...ollos y, de pronto, llega su marido, nuestro primer profesor de Bioquímica en la carrera.

...orja lle...a...a un papel en la mano, y esta...a muy agitado aunque mostrara una amplia sonrisa. Ninguno de nosotros sa...ía lo que i...a a suceder; más tarde descu...riríamos que nuestros profesores i...an a ser padres en el mes de fe...rero.

Todos nos alegramos por los futuros padres, que sólo esta...an preocupados por la fecha de nacimiento de su hijo. Espera...an que no fuera el día ...eintinue...e de fe...rero.

Las palabras que empiezan por el elemento compositivo *bi-*, *bis-*, *biz-*, 'dos', 'dos veces': *bianual, bicentenario, bipolar, bisabuelo, bizcocho.*

EJERCICIO 11

Completa con *b* o *v*.

Mi ...isa...uelo Ja...ier Benítez es el padre de mi a...uelo y, como murió a los 95 años, tu...e la oportunidad de conocerlo. Siempre nos llama...an la atención su gran ...igote, su acento ...il...aíno y sus gordas gafas ...ifocales.

A principios del siglo XX, Ja...ier era maestro y, cuando éramos pequeños, nos explica...a cómo había conocido a mi ...isa...uela Elvira Vera cuando compra...a un ...illete de ...arco para ...iajar a ...rasil como profesor de español de los hijos de unos ricos ...enefactores, aunque su deseo era enriquecerse plantando ta...aco.

El...ira era ...i...liotecaria y recolecta...a dinero para comprar libros nue...os para la ...i...lioteca parroquial. ...estía un traje color ...erenjena que hacía juego con su som...rero morado y con sus ojos azules.

Tanto se enamoró de El...ira que abandonó su idea de ...iajar. ...is...iseando su nombre en...ol...ió una flor con su ...illete y se lo ofreció a mi ...isa...uela con un le...e ...eso.

Gracias a esta rápida decisión contrajo matrimonio con mi ...isa...uela, y nuestras ...idas son como son.

Las voces que comienzan por *bibl-*, *sub-* y *bea-*: *biblioteca, bibliografía, subalterno, subclase, beatífica, beato.*

EJERCICIO 12

Selecciona la forma correcta en cada caso.

a) En la Asociación de Teatro no hemos cobrado aún la .... del Estado.

1. subvención
2. suvbención

b) Juan es un verdadero ....: ama los libros con pasión y los cuida con esmero.

1. bibliófilo
2. bivliófilo

c) El padre Eugenio no está canonizado, pero se le considera un ....

1. veato
2. beato

d) El .... fue inventado por un español.

1. submarino
2. sumarino

e) En la .... Nacional encontramos muchos ejemplares antiguos.

1. Biblioteca
2. Bivlioteca

f) En el .... de esta obra del siglo XIX aparece el nombre de la ciudad.

1. subtítulo
2. suvtítulo

g) En este retrato se refleja toda la .... del anciano.

1. veatitud
2. beatitud

Se escriben con *b* las palabras que comienzan con *aba-, abo-, abu-, gar-, ur-* y *ver-*: *abad, abajo, abocinado, abofetear, abuela, abultar, garbanzo, urbano, verbo, verbena.*

Excepciones: *avalancha, avalar, avaricia, avasallar, avocar.*

EJERCICIO 13

Escribe *b* o *v*.

La misión se encontra...a junto a un monasterio de monjas benedictinas. La dirigían la madre a...adesa y un par de curas a...orígenes muy jó...enes, de los que la religiosa podía ser a...uela. Hasta allí llegó un cooperante que después de a...andonar la ur...e ...enía con la ca...eza llena de ideas.

Lo primero que se le ocurrió fue organizar una ...er...ena en plena sel...a. Al principio los ha...itantes del po...lado lo agradecieron. Lo difícil fue encontrar a los músicos.

Por fin, se formó una pequeña orquesta: un par de monjas toca...an la guitarra, los tam...ores los domina...a uno del pue...lo, y el propio organizador, por no a...usar, según dijo, se conformó con hacer los coros. Las dulces cancioncillas de las monjas se mezcla...an mal con el ritmo étnico del tam...or, y mucho peor con la desafinada ...oz del ...oluntarioso cooperante.

Durante la primera canción la gente aguantó aquel desconcierto con paciencia e incluso algunos se esforzaron en ...ailar, sin ningún éxito. Pero en la segunda tonada se hizo el silencio, a la tercera se inició el a...ucheo y, al intentar comenzar la cuarta, empezaron a ...olar ...ostas de ...aca, según la curiosa costum...re local.

Y, de este modo, el ...oluntario aprendió el pragmatismo que ha...ía permitido a la Iglesia per...i...ir miles de años entre los hom...res: "¡No paren de cantar, que mañana tenemos que a...onar los gar...anzos!", grita...a la madre a...adesa desde un lateral del escenario.

Las palabras que contienen el elemento compositivo *bio*, 'vida': *biología, anfibio, anaerobio, biografía, biosfera, microbio.*

EJERCICIO 14

Completa las palabras y búscalas en la sopa de letras.

a...errante
a...ión
arri...a
...etún
...iógrafo
...iombo
...iola
...iótico
...iolar
...irria
...iruje
é...ano
li...io
mal...ado
no...el
o...ra

A	V	C	D	V	O	L	T	X	L
B	I	O	T	I	C	O	A	A	I
I	O	Y	A	O	U	D	C	B	B
R	L	M	A	L	V	A	D	O	I
U	A	B	O	A	B	U	E	Y	O
J	B	I	R	R	I	A	C	Y	P
E	O	O	B	B	O	O	X	B	P
A	O	M	B	A	G	X	T	E	A
A	A	B	E	R	R	A	N	T	E
B	V	O	B	R	A	B	O	U	U
B	I	I	A	I	F	A	V	N	U
V	O	I	N	B	O	D	E	M	A
R	N	Y	O	A	A	T	L	E	A

Toda palabra en que el fonema labial sonoro va seguido de otra consonante o está a final de sílaba: *abdomen, abnegación, absoluto, obtener,
obvio, probable, branquia, bravo, blanco, baobab, club, esnob.*

Excepciones: *ovni* y algunos términos en desuso.

En el caso de *substantivo, obscuro, subscribir, substituir, substraer, subs-
tancia* y sus derivados, el grupo *bs* se simplifica en *s: sustantivo, oscuro,
sustancia,* etc.

EJERCICIO 15

Elige la forma correcta.

a) El substantivo / sustantivo tiene género masculino o femenino.

b) El rey abdicó / avdicó en su sobrino más cercano.

c) El agravio / agrabio disgustó a la señora.

d) El grupo Molotov / Molotob canta en la plaza de toros.

e) Espera que se avlande / ablande ese pastel, y nos lo comemos.

f) Los médicos realizaron una biopsia / viopsia con éxito.

g) El guardabía / guardavía cuida de la línea del tren.

h) No seas esnob / esnov y compra como todos en esa tienda.

EJERCICIO 16

Rellena las casillas teniendo en cuenta las definiciones que te damos.

1. Rapto.

2. Cada uno de los grupos en que se divide una clase.

3. Ceder o renunciar a la soberanía de un pueblo.

4. Ofrenda.

5. Contrario y opuesto a la razón.

6. Cavidad del cuerpo limitada por el diafragma.

7. Admirado, pasmado.

8. Señalar por debajo con una raya.

9. Socorro o auxilio económico.

10. Excelso, extraordinario.

#										
1	A			U	C		I		N	
2	S	U		C	L		S	E		
3	A		D	I	C	A	R			
4	O	B		A	C			N		
5	A		S	U	R		O			
6	A			O	M	E	N			
7	A		S	O	R	T	O			
8	S	U			A	Y	A	R		
9	S	U			I	D		O		
10	S	U			I	M	E			

Las palabras compuestas que empiezan por *bien* o su forma latina *bene*: *bienvenido, bienestar, beneficio, benefactor.*

EJERCICIO 17

Selecciona la forma correcta y relaciona cada palabra con su significado.

CADA OVEJA CON SU PAREJA

a) bienmesabe / vienmesabe

b) venezolano / benezolano

c) bienestar / vienestar

d) biento / viento

e) beneno / veneno

f) venerable / benerable

g) biejo / viejo

h) bienvenido / vienbenido

i) benevolencia / venebolencia

j) bienhablado / vienhablado

1. estado de satisfacción
2. movimiento del aire que se produce en la atmósfera
3. dulce
4. natural de Venezuela
5. cualquier cosa nociva para la salud
6. persona de edad avanzada
7. que se recibe con alegría
8. digno de respeto
9. que no usa expresiones vulgares al hablar
10. buena voluntad y simpatía hacia las personas

Las voces acabadas en -*bilidad*: *afabilidad, sensibilidad, sociabilidad, probabilidad.*

Excepciones: *movilidad, civilidad* y sus compuestos.

EJERCICIO 18

Completa con *b* o *v*.

a) La ama...ilidad es propia de personas educadas.

b) ¿Qué proba...ilidad tenemos de ser los primeros?

c) Después del entrenamiento no ha mejorado su mo...ilidad.

d) La culpa...ilidad del detenido tiene que ser demostrada en el juicio.

e) Sus actos no me ofrecen credi...ilidad.

f) Ya no somos novios porque tenemos incompati...ilidades muy acusadas.

g) El techo de la casa no ofrece garantía de impermea...ilidad.

h) Tu compañero ha demostrado su inha...ilidad a la hora de montar esta estantería.

Las palabras que comienzan por *bu-, bur-* y *bus-: bucal, buceador, burbuja, burdo, buscar.*

Excepción: *vudú.*

EJERCICIO 19

Elige la forma correcta.

a) La viografía / biografía se escribió en un año.

b) La obscuridad / oscuridad puede asustarte.

c) Al escribir / escrivir noto un dolor en la muñeca.

d) Si contribuyes / contrivuyes con un donativo a la Cruz Roja te desgravará en los impuestos.

e) No creo que beba / beva este fin de semana porque soy el conductor.

f) Íbamos/ ívamos a comprar una nueva lámpara para el salón.

g) El sabio / savio conoce el misterio de la savia / sabia de la vida.

h) El club / cluv está abierto hasta las 4 de la madrugada.

i) El ovni / obni fue visto por los excursionistas.

j) En la ONG necesitamos un traductor de bielorruso / vielorruso.

k) Cada bienio / vienio cambiamos de convenio laboral.

l) La adaptabilidad / adaptavilidad de este animal a su medio natural es extraordinaria.

EJERCICIO 20

Completa con *b* o *v* y relaciona cada palabra con su significado.

CADA OVEJA CON SU PAREJA

a) …ucanero	1. lugar en el que trabajan los abogados
b) …ufete	2. gas que se usa como combustible
c) …ullir	3. que estudia los volcanes
d) …utano	4. pintura o escultura de la parte superior del cuerpo humano
e) …ulcanólogo	5. persona que tiene una cómoda posición social
f) …urgués	6. acción de volar
g) …uelo	7. pirata
h) …uñuelo	8. creencia de origen africano
i) …udú	9. bollo frito
j) …usto	10. hervir un líquido

Las palabras que contienen *-bundo* y *-bunda: nauseabundo, furibunda, vagabundo.*

EJERCICIO 21

Elige la forma correcta.

a) La comida fue abundante / avundante y creo que no cenaré.

b) El padre moribundo / morivundo habló a sus hijos.

c) El bandalismo / vandalismo de estos niños asombró a los profesores.

d) Antonio tiene un carácter furibundo / furivundo.

e) La vendedora / bendedora es muy simpática.

f) El olor nauseavundo / nauseabundo llega hasta el pueblo.

Tras las sílabas *ca-, ce-, co-, go-* y *gu-* al comienzo de palabra: *cabello, cebolla, cobertura, gobierno, gubernativo.*
Excepciones: *cavar, cavidad, cava, caviar, caverna, cavilar, covacha, Covadonga.*

EJERCICIO 22

Completa con *b* o *v.*

a) La decisión gu...ernamental de recortar el presupuesto refleja indirectamente las fuertes pérdidas en la Seguridad Social.

b) Los ca...les de la televisión afean la decoración de la ha...itación

c) La ca...ra es un animal austero que ...i...e en los am...ientes rurales.

d) La ...oz "co...arde" puede sustituirse por "miedoso".

e) La go...ernanta del nue...o hotel sabe cuatro idiomas.

f) El...ira ha co...rado la ...eca de in...estigación en el mes de marzo.

g) Las ce...ras se parecen a los ...urros.

h) El étimo de ce...olla es *cepulla.*

Tras las sílabas *ha-, he-, hi-, ja-, ju-, la-* y *lo-* al comienzo de palabra: *habano, hebilla, hibernación, jabón, jubilación, labio, lobo.*

Excepciones: *hevea, juventud, Java, Javier, lavar.*

EJERCICIO 23

Escribe *b* o *v*.

a) Al ha...er vendido la casa nos hemos quedado sin propiedades.

b) Ja...ier es un gran cazador y por eso es muy ecologista.

c) Hizo un guiso de ha...as con trocitos de jamón serrano.

d) Me la...o la cara con ja...ón de glicerina.

e) Si fueras más ha...ilidoso no cometerías esos fallos.

f) El año 2000 fue un año ju...ilar.

g) No te pintes los la...ios de color negro.

h) La he...illa no suele ser de plástico.

i) Los lo...os no son tan malos como los pintan los cuentos infantiles.

j) El aspecto ju...enil de Eva se debe a su modo de vestir.

k) La hi...ernación del oso es un prodigio de la naturaleza.

Las palabras que comienzan con *ta-, te-, ti-, to-, tu-, tra-, tre-, tri-, sa-, so-, ra-, ro-* y *ru-: tabaco, tebeo, tibio, tobillo, tubo, trabajo, trébol, tribu, sábana, sobado, rábano, robar, ruborizar.*

Excepciones: *ravioles, savia, soviético, Rovira, travieso, travesaño, Treviño, trivial,* etc.

EJERCICIO 24

Completa el texto con *b* o *v*.

Cuando llegué al Nue...o Mundo pensa...a que nada podía ser peor que la po...reza de donde procedía. Además, en las nue...as tierras crecían el oro y la plata en los ár...oles, y con hacer un pequeño hoyo aparecían sin tra...ajo diamantes y ru...íes. Yo, Ro...erto Díaz, sú...dito de sus Majestades los Reyes de España, so...rino del sa...io maestro Antonio, el mejor carpintero de Medina del Campo, no de...ía tener pro...lemas para enriquecerme en estas nue...as tierras de promisión.

Al ...ajar del ...arco, sólo tenía los ducados suficientes para comprar un poco de ta...aco, una ta...leta de carne seca de ti...urón y algo de ...ino. Para los casos de emergencia guarda...a en mi to...illo unas cuantas monedas, y con ellas pagué el hospedaje de mi primera noche fuera de mi tierra. El calor hizo innecesaria la única sá...ana que cu...ría un camastro con más chinches que paja.

Al día siguiente, me le...anté y empecé a ...uscar fortuna. Me topé en el centro de la plaza con una su...asta de escla...os. De la multitud salió un grito de mujer: "¡Al ladrón, al ladrón!". Se ha...ía producido un ro...o. Un mozal...ete salió corriendo con un tu...o lleno de monedas que guarda...a la mujer en su seno. El resto de los asistentes a la su...asta ni se inmutó, como si todo esto les importara un rá...ano.

Yo, por mi parte, cogí una piedra del suelo y la lancé a las piernas del ladrón, que trasta...illó y cayó rodando. La mujer, agradecida, me dio algunas de sus monedas. Esta...a claro que en este nue...o país se ...alora...a una ha...ilidad como la mía: era el mejor jugador de ...olos de mi pue...lo.

3.2. V, v

Se escriben con *v*

Las palabras que empiezan por *eva-, eve-, evi-* y *evo-*: *evasión, evento, evocar, evitar, evolución.*
Excepciones: *ébano, ebanista* y sus derivados, y algunos términos de uso muy restringido.

EJERCICIO 25

Completa con *b* o *v* y relaciona cada palabra con su significado.

CADA OVEJA CON SU PAREJA

a) e...angelio

b) e...acuar

c) e...aluar

d) e...ocar

e) e...entualmente

f) e...idente

g) e...aporar

h) é...ano

i) e...anistería

j) e...adir

1. evitar un peligro

2. desocupar algún lugar

3. casualmente

4. historia de Jesús

5. señalar el valor de una cosa

6. obvio

7. traer una cosa a la memoria

8. convertir en vapor un líquido

9. taller donde se trabajan maderas finas

10. árbol muy apreciado por su madera de color negro

Las voces que empiezan por el elemento compositivo *vice-*, *viz-* o *vi-*, 'en lugar de': *vicealmirante*, *vicepresidente*, *vizconde*, *virrey*.

EJERCICIO 26

Elige la forma correcta.

a) El vicecónsul / bicecónsul sustituye al cónsul.

b) Mi visnieto / bisnieto trabaja en el ministerio.

c) Ese vidente / bidente dice que ve nuestro futuro.

d) Este motor se revisa vianualmente / bianualmente.

e) En el siglo XVI los vizcaínos / biscaínos aparecen en las crónicas marineras.

f) Cuando elijo el rojo a ti te gusta el azul, y bicebersa / viceversa.

g) Conozco un vizconde / bizconde que sabe el nombre de todos sus antepasados.

h) El vicedecano / bicedecano preside la reunión.

i) Compré un lienzo en el que aparece un animal vicéfalo / bicéfalo.

j) Esta organización es una entidad bicentenaria / vicentenaria.

Los adjetivos que terminan en *-avo, -ava, -evo, -eva, -eve, -ivo, -iva: cóncavo, octava, longevo, nueva, leve, pasivo, nociva.*
Excepción: *suabo* y *mancebo* (en desuso como adjetivo).

EJERCICIO 27

Escribe *b* o *v*.

a) Subo al piso octa...o para ver al médico.

b) En la antigüedad el escla...o no tenía derechos.

c) El be...é llora cuando tiene hambre.

d) El discurso debe ser bre...e para que interese al público.

e) Juan es muy compasi...o con sus compañeros.

f) Ese toro es muy bra...o.

g) Sólo conseguí entradas para la fila decimocta...a en este cine.

h) No he pagado el reci...o de la luz.

i) El derrum...e de ese edificio fue planificado por el Ayuntamiento.

j) Mi abuelo es muy acti...o.

k) En mi casa nue...a pienso pintar de amarillo las paredes.

l) Esta etapa es decisi...a para la nueva Ley del suelo.

Las palabras llanas terminadas en *-viro, -vira*, como *triunviro, Elvira*, y las esdrújulas terminadas en *-ívoro, -ívora*, como *omnívora, insectívoro*.
Excepción: *víbora*.

Los verbos que terminan en *-olver: volver, devolver, absolver, disolver.*

EJERCICIO 28

Rellena las casillas teniendo en cuenta las definiciones.

1. Que se alimenta de carne.

2. Cada uno de los tres magistrados romanos que en ciertas ocasiones gobernaron la República.

3. Que se alimenta de vegetales.

4. Persona con mala intención.

5. Plantas que se alimentan de insectos.

6. El que codicia el oro.

1	C	A	R	N	I		O	R	O
2	T	R	I	U	N		I	R	O
3	H	E	R	B	I		O	R	O
4	V	I		O	R	A			
5	C	A	R	N	I		O	R	A	S
6	A	U	R	I		O	R	O		

EJERCICIO 29

Completa con _b_ o _v_.

a) No te he ...uelto a ...er desde el viaje de fin de carrera.

b) La reunión se disol...ió al llegar los guardias.

c) La toalla absor...ió por completo el líquido.

d) El sacerdote le absol...ió de sus pecados.

e) Al disol..er la mezcla de colores nos manchamos de verde.

f) Resol...imos no hablar del problema hasta llegar al centro escolar.

g) Cada año la nieve vuel...e con el invierno.

h) El...ira era abogada y resol...ía casos laborales.

i) He re...uelto el guiso constantemente, pero al final se me ha quemado.

Los presentes de indicativo y subjuntivo y el imperativo del verbo _ir: voy, vaya, ve._

El pretérito indefinido y el futuro imperfecto de subjuntivo de los verbos _estar, andar_ y _tener_ y sus compuestos: _estuvo, estuviéramos, estuviere, anduve, desanduvo, tuviste, retuvo, sostuviera, contuviese, mantuviere._

EJERCICIO 30

Elige la forma correcta.

a) No creo que la comida estuviera / estubiera preparada para esa hora.

b) Yo estava / estaba segura de su valía como arquitecto.

c) El jefe dispuso que tubiéramos / tuviéramos suficiente dinero para el viaje.

d) Ayer estuvieron / estubieron en Port Aventura con los niños.

e) Hoy voy / boy a comprar el pescado en la lonja local.

f) Mantuve / mantube a mi hijo hasta que empezó a trabajar.

g) No creo que esas maderas sostuvieran / sostubieran todo el peso.

h) Ve / be a casa y duerme toda la noche.

> Las palabras en las que las sílabas *ad-*, *sub-* y *ob-* preceden al fonema labial sonoro: *advenedizo, subversivo, obvio.*

EJERCICIO 31

Completa con *b* o *v*.

a) Esta tela es muy sua...e y fácil de la...ar.

b) El o...jeti...o de esta excursión es llegar a Co...adonga.

c) En Ad...iento se prepara la llegada de la Na...idad.

d) Creo que Ál...aro está sub...alorado por su jefe.

e) Voy a gra...bar esta medalla con el nombre de mi hijo ...arón.

f) En el campo me mordió una ...íbora y tu...e que ir al médico.

g) La casa de la playa no desgra...a en la declaración de la renta.

h) Voy a ...er a mis abuelos el sábado en Á...ila.

i) Debe de ha...er pocos profesionales que sepan ha...lar en japonés.

j) La película *Re...elde sin causa* me recuerda ...iejos tiempos.

k) El alumno nue...o se ha re...elado como un gran estudiante.

l) Puse las ...icicletas en la ...aca de tu coche.

m) Las ...acas comen hier...a.

n) El tu...o de pastillas en la chaqueta de la víctima fue decisi...o para el veredicto del jurado.

ñ) ¿La sa...via de las plantas es de color amarillo o ...erde?

o) Si ...ienes a Canarias no ol...ides la crema bronceadora y la toalla.

p) Entre sus ...ienes esta...a un reloj que le dio su padre.

q) Sonia es una b...lla persona.

r) El ...ello del cuerpo se quita por moti...os estéticos y culturales.

s) La pelota ...ota con fuerza en la cancha.

t) En nuestro país ...otamos cada cuatro años.

u) La bo...ina de hilo es de color ...urdeos.

v) La piel bo...ina es de ...uena calidad.

w) La sa...ia doctora descu...rió el ...acilo que producía la enfermedad.

x) María se quedó lí...ida al conocer su suspenso en ...iología.

y) La li...ido se ve disminuida con esas pastillas.

z) No creo que de...as reca...ar información sobre los ...arones de Medinalobo.

3.3. W, w

Se escriben con **w**

Algunos nombres propios de origen visigodo: *Walia, Witerico*, o que proceden del alemán: *Wagner, wagneriano, wolframio*.

En muchas ocasiones la *w* puede sustituirse por la *v*: *walón / valón, wolframio / volframio, Wenceslao / Venceslao, wáter / váter*.

Puede pronunciarse como *b (Walia, Witiza, wáter)* o como *u* consonante *(Washington)*.

EJERCICIO 32

Elige la opción correcta.

a) El wáter / báter / váter de mi casa está decorado con motivos / motibos marinos.

b) El bate / vate de madera tuvo / tubo que ser retirado del campo de juego.

c) En Biología y en Medicina se estudia el darwinismo / darvinismo.

d) Los jugadores de waterpolo / vaterpolo españoles estuvieron / estubieron en las últimas olimpiadas.

e) La botella de whisky / vuisqui está precintada y no conseguimos abrirla / avrirla.

f) Walia / Valia / Balia fue un rey visigodo que reinó muy pocos años.

g) El watio / vatio / batio es una unidad de potencia.

h) El vate / bate compone poemas a la naturaleza.

i) Marcos practica el windsurf / vindsurf en las playas de Tarifa.

3.4. C, c

C + A, O, U

– representa el fonema oclusivo velar sordo /k/: *cama, colegio, cumbre.*

C + E, I

– representa el fonema fricativo interdental sordo /θ/: *cerdo, cintura, rocío* (pronunciación del norte, centro y este de la España peninsular);

– representa el fonema fricativo sordo de articulación predorsal /s/ (pronunciación que se conoce como seseo y se da en la zona meridional de la España peninsular, en las Islas Canarias y en Hispanoamérica).

La *c* puede aparecer en posición final de sílaba o de palabra: *tictac, frac, bistec.*

Excepciones: *anorak, bock, quark.*

El grupo *-cc-* se usa en aquellas palabras que tienen derivados con el grupo *-ct-*: *extracción-extracto, reducción-reducto, conducción-conducto.*

Excepciones: en algunos casos el grupo *-ct-* no aparece en la familia léxica de palabras como *confección, cocción.*

La *c* también se emplea en algunas voces como *relación* y *sindicación,* que tienen en su familia léxica *relato* y *sindicato.*

EJERCICIO 33

Elige la forma correcta.

a) En la acción / ación policial / polisial pudimos comprobar la valentía de los agentes.

b) El tictac / ticctac del reloj no me permitía descansar con satisfacción / satisfación.

c) No creo que Ana sea adicta / adita al chocolate.

d) El juez / juec escucha con atención / atensión al abogado.

e) El cuadro de la Resurrección / Resureción está en la catedral.

f) Todas esas palabras aparecen en el dicionario / diccionario de consulta.

g) Tu anorak / anorac es naranja como el de los monitores.

h) Cada objección / objeción tuya es un disgusto para el director / diretor.

i) La inyeción / inyección debe administrarse cada seis horas.

j) La adicción / adición de un nuevo miembro a la banda de música ha dado buen resultado.

k) La adicción / adición de Luis a la cafeína le parece preocupante a la dirección / direción del centro.

l) El perro guía a la ciega / siega sin distracción / distración por la ciudad.

m) Los electores / eletores prefieren votar a última hora de la mañana.

EJERCICIO 34

Busca en un diccionario los términos de la misma familia léxica de estas palabras en los que aparece -cc-.

EJEMPLO: *abstracto-abstracción*

a) electo
b) aflictivo
c) coactivo
d) conducto
e) constructor
f) contractura
g) convicto
h) reactor
i) restrictivo
j) inductor

EJERCICIO 35

Elige la forma correcta.

a) .... a mi amigo con cariño.

      1. Abracé   2. Abrasé

b) La carne .... que preparas siempre les gusta a los invitados.

      1. asada   2. azada

c) La .... del agricultor está muy vieja.

      1. azada   2. asada

d) La .... coincide con el plato.

      1. tasa   2. taza

e) Las .... reflejan las discusiones de la reunión.

      1. actas   2. atas

f) Las .... se convocaron en junio.

      1. elecciones   2. eleciones

g) Aunque te .... las lecciones, procura repasar.

      1. cepas   2. sepas

h) La .... de la vid es el símbolo de nuestro pueblo.

      1. sepa   2. cepa

3.5. K, k

La *k* se usa ante cualquier vocal *(kárate, keroseno, kilo, koala, kurdo)*, ante consonante *(krausismo)* y en posición final de sílaba *(anorak, bock, quark)*. En muchas ocasiones algunas palabras pueden escribirse con *qu:*

biquini-bikini	*kilómetro-quilómetro*
eusquera-euskera	*kirie-quirie*
kermés-quermés	*quiosco-kiosco*
kilo-quilo	*kiwi-quivi*
kilogramo-quilogramo	*vodka-vodca*
kilolitro-quilolitro	

Las primeras formas se emplean más que las segundas.

EJERCICIO 36

Completa con *k* o *q* y relaciona cada palabra con su significado.

CADA OVEJA CON SU PAREJA

a) ...árate

b) ...ilo

c) ...rausismo

d) ...irie

e) ...éfir

f) ...arateca

g) ...imono

1. leche fermentada artificialmente
2. invocación que se hace a Dios
3. prenda de vestir femenina que procede de Japón
4. persona que practica una técnica japonesa de lucha sin armas.
5. sistema filosófico de principios del siglo XIX
6. medida de peso
7. modalidad de lucha japonesa

3.6. Q, q

Representa el mismo sonido oclusivo velar sordo de la *c* + *a, o, u* o de *k* + vocal. En español se usa solamente ante la *e* o la *i*, mediante interposición gráfica de una *u*, que no suena: *quema, quite.*

EJERCICIO 37

Elige la forma correcta.

a) La empresa quebró / kebró por la mala cabeza / kabeza de los administradores.

b) Esa quemadura / kemadura te dejará cicatriz / cikatriz.

c) En el juego de ordenador disparó a su enemigo a quemarropa / kemarropa.

d) No seas quejica / kejica y ponte manos a la obra.

e) El agua caliente / kaliente quita / kita la suciedad de los platos.

f) En el kilómetro / quilómetro 23 de esa vía hay desprendimientos.

g) Sus acciones son verdaderas quijotadas / kijotadas que no nos llevan a ninguna solución.

h) En el kiosco / quiosco me guardan las revistas de moda.

i) El folclore / folklore español es muy rico.

EJERCICIO 38

Completa con *c* o *qu* y relaciona cada frase con su significado.

CADA OVEJA CON SU PAREJA

a) ...erer es poder

b) ser un ...ijote

c) sacar de ...icio

d) ser de ...uidado

e) ser las ...uentas del Gran Capitán

f) no llegarle a uno la camisa al ...uello

g) tener mucho pes...is

h) ser de la misma ...inta

1. negocio hecho sin reparar en gastos y sin responsabilidad

2. ser muy listo

3. coincidir en el año de nacimiento

4. hacer perder el tino o la paciencia

5. estar muy nervioso o tener miedo

6. ser un soñador

7. con voluntad se consigue casi todo lo posible

8. peligroso o que exige prudencia

3.7. c, k, q

SONIDO	GRAFÍAS	POSICIÓN	A	E	I	O	U
[k] oclusivo velar sordo	c + a, o, u qu + e, i cu + a, e, i, o k + cualquier vocal	ante vocal	CA: *casa* CUA: *cuarto* KA: *kárate*	QUE: *queso* CUE: *cuello* KE: *kéfir*	QUI: *quieto* CUI: *cuidar* KI: *kilo*	CO: *coser* CUO: *cuota* KO: *koala*	CU: *cuchara* KU: *kurdo*
		ante *l*	CLA *clase*	CLE *clero*	CLI: *cliente* KLI: *klistrón*	CLO *cloro*	CLU *clueca*
		ante *r*	CRA: *cráneo* KRA: *krausista*	CRE: *crecer* KRE: *kremlin*	CRI: *crisol* KRI: *kril*	CRO *croqueta*	CRU *crudo*
		ante *t*	ACT *pacto*	ECT *recto*	ICT *rictus*	OCT *octano*	UCT *instructor*
		ante *cc*	ACC *abstracción*	ECC *inspección*	ICC *convicción*	OCC *cocción*	UCC *reducción*
		final (*términos poco usados)	AC: *frac* AK: *anorak*	EC *bistec*	IC *cómic*	OC: *bloc* OK: *cok**	UC: *bambuc** UK: *volapuk**

EJERCICIO 39

Elige la forma correcta.

a) En la condución / conducción cualquier distracción / distra-ción es un riesgo.

b) Antonio lleva la vida de un crápula / krápula por sus continuas salidas nocturnas / noturnas.

c) La traición / traicción del enemigo se debió a la ambición de un joven general.

d) En una fracción / fración de segundo tu vida puede cambiar.

e) Tu postura es muy klara / clara: no te gusta que fumen durante la comida.

f) El bistek / bistec estaba al gusto de mi invitado.

g) La prohibición / prohibicción del alcalde estaba en la mente de los manifestantes.

h) El biquini / bikini de Ana es de flores azules.

i) La exhibicción / exhibición duró tres horas bajo un sol de justicia.

EJERCICIO 40

Completa con _c_ o _qu_ y relaciona cada frase con su significado.

CADA OVEJA CON SU PAREJA

a) echar margaritas a los puer...os

b) estar en la luna de Valen...ia

c) donde ...risto dio las tres voces

d) sacarse el ...lavo

e) ...ruz y raya

f) armarse la de San ...intín

g) hacerlo en un ...redo

h) no dar ...rédito

i) ser un ...río

j) estar al ...ite

k) dar en la ...resta

l) tener algo de ...ita y pon

1. humillar a alguien

2. dar cosas buenas a quienes no las valoran

3. no creer algo

4. en un momento

5. librarse de una persona o cosa molesta

6. en un lugar muy distante

7. no querer tratar con una persona nunca más

8. ser una persona irreflexiva e inmadura

9. no enterarse de nada

10. organizar un gran lío, una pelea

11. juego de dos cosas destinadas al mismo uso y sin repuesto

12. estar preparado para acudir en auxilio de alguien

3.8. Z, z

Z + A, O, U

representa el fonema fricativo interdental sordo /θ/: *zaguán, cazo, zurdo.*

El mismo sonido se escribe con *c + e, i: cebolla, cien.*

Excepciones: *enzima, nazi, razia, zéjel, zepelín, zigzag, zipizape, zis zas.*

En español hay algunas palabras que admiten la alternancia *c / z*, aunque la RAE prefiere la forma que se indica en primer lugar en cada caso:

acimut-azimut	*cinc-zinc*
ázimo-ácimo	*eccema-eczema*
cebra-zebra	*neozelandés-neocelandés*
cedilla-zedilla	*zeda-ceda*
cenit-zenit	*zeta-ceta*
cigoto-zigoto	*zeugma-ceugma*

También se puede escribir *pizza, pizzería, pizzicato, puzzle* y *razzia* (se prefiere *razia*).

La *z* en posición final de palabra *(arroz, nariz, pez)* se convierte en *c* al formar el plural, palabras derivadas y diminutivos: *arroces, arrocero; narices, naricita; peces, pececito.*

En posición interior la *z* se comporta de este modo:

calabaza, calabazas, calabacita, calabacero
hechizo, hechizos, hechicito, hechicero
ceniza, cenizas, cenicita, cenicero

EJERCICIO 41

Elige la forma correcta.

a) Encima / enzima de esta mesa dejé mi puzzle / puzle nuevo.

b) Los aztecas / actecas conocían usos medicinales / medizinales muy interesantes.

c) La doctora analiza la enzima / encima del pan de centeno / zenteno.

d) Si haces / hazes bien la tarea te llevaré al circo / zirco.

e) La cama de matrimonio tiene el cabecero / cabezero de madera.

f) Los lapiceros / lapizeros son de mi amiga Luisa.

g) El zelandés / celandés que estudia español no conoce al profesor de cultura.

h) La serpiente zigzaguea / cigzaguea.

i) El juez / jues estudió durante años en Madrid.

j) Esos líquidos son eficaces / eficazes para las manchas.

3.9. C, Z

SONIDO	GRAFÍAS	POSICIÓN	A	E	I	O	U
[θ] fricativo interdental sordo	z + a, o, u c + e, i vocal + z	ante vocal	ZA *zapato*	CE: *cepillo* ZE: *zepelín*	CI: *cierto* ZI: *zipizape*	ZO *zócalo*	ZU *zurrón*
		tras vocal, final de sílaba o de palabra	AZ *capaz*	EZ *soez*	IZ *izquierda*	OZ *arroz*	UZ *avestruz*

EJERCICIO 42

Completa el texto.

....omer en España es un verdadero pla...er que está al alcan...e de cualquier persona que visite este país, y de ninguna forma se trata de un deleite que sólo puedan disfrutar unos pocos, ni es ne...esario recorrer muchos ...ilómetros.

A lo largo del territorio español encontramos una surtida variedad de produ...tos que poseen denomina...ión de origen. Mucha de la produ...ión local sigue la normativa de cualquier jue... internacional de calidad.

Así, si queremos comer y beber cosas propias de las tierras españolas, iniciaremos nuestra ele...ión, por ejemplo, con un aperitivo de chori..os o unos ...uesos típicos y unas a...eitunitas de cualquier región que podemos acompañar con un buen vino. Si preferimos pasar dire...tamente a la comida, comen...aremos nuestra degusta...ión con unos buenos espárragos de Navarra o un plato de arro... del Delta del Ebro o de la costa levantina, para continuar con un buen chuletón de carne de Ávila o un lecha...o de Castilla-León que se puede adquirir en cualquier carni...ería, o bien con un buen pes...ado recién capturado.

Tal vez se prefiera degustar un plato de legumbres o verduras del norte de España: la fabada de Asturias o cualquier menestra de La Rioja puede sa...iar nuestro apetito. No olvidemos dar instru...iones muy pre...isas para que todos los alimentos sean co...inados con a...ei-te de oliva, verdadero oro líquido de nuestra cultura.

Para terminar se elegirá cualquier postre dul..e de los muchos que cono...emos, aunque qui...ás se prefieran las frutas. Mis favori-tas son las deli...iosas ...erezas de Extremadura y el riquísimo pláta-no de Canarias.

Z + A, O, U

C + E, I

tienen dos pronunciaciones:

a) una, presente en gran parte de España, con un sonido de articulación interdental, fricativa y sorda ante cualquier vocal: *zaguán, zurdo, cepi-llo, ciencia;*

b) otra, en Andalucía, Canarias y América Latina, se articula como una *s*. Esta segunda pronunciación se llama *seseo* y nunca se refleja en la escri-tura, que mantiene las reglas ortográficas.

La Academia considera correctas las dos pronunciaciones.

EJERCICIO 43

Escribe *c* o *z* y agrupa las palabras que pertenecen a la misma fa-milia léxica.

a) lápi...
b) ca...ar
c) pi...a
d) cerve...a
e) dul..e
f) lo...a
g) nue...
h) garban...o
i) roman...e
j) sin...ero

1. lo...ero
2. lapi...ito
3. lapi...ero
4. ca...ería
5. cerve...ita
6. cerve...ería
7. dul...ería
8. pi...ería
9. nue...ero
10. garban...ero
11. roman...ero
12. dul...ecito
13. sin...eridad

EJERCICIO 44

Completa las palabras siguientes con *c* o *z* y relaciónalas con su significado.

CADA OVEJA CON SU PAREJA

a) altramu…	1. extensión de terreno
b) …ona	2. golpe que se da con la cabeza
c) benefi…iario	3. cuaderno
d) pu…le	4. rompecabezas, juego
e) ca…ereño	5. semilla comestible de color amarillo, chocho
f) …apato	6. valiente y noble
g) zar…illo	7. natural de Cáceres
h) …urdo	8. calzado
i) blo…	9. joya que se pone en la oreja
j) cabeza…o	10. persona que tiene más habilidad con las extremidades del lado izquierdo
k) bi…arro	11. persona que recibe un bien o beneficio
l) lu…	12. que logra hacer efectivo un propósito
m) co…	13. escasez de anchura
n) maí…	14. planta de la familia de las gramíneas
ñ) fra…	15. patada violenta
o) estreche…	16. claridad
p) efica…	17. prenda de vestir masculina de etiqueta

3.10. G, g

G + A, O, U

GU + E, I (la *u* no se pronuncia)

GÜ + E, I (la diéresis indica que se pronuncia la *u*)

representan el fonema velar sonoro /g/: *gato, golosa, gusano, guerra, guiso, desagüe, pingüino.*

G + E, I

representa el fonema fricativo velar sordo /x/: *gigante, gemelos, gitano.*

La *g* puede aparecer a final de sílaba o, menos frecuente, de palabra: *digno, zigzag.*

EJERCICIO 45

Elige la forma correcta.

a) La cigueña / cigüeña vive en los tejados de las iglesias.

b) Un buen güante / guante debe ser liviano.

c) El garaje / garage de casa es muy amplio tal como atestiguaron / atestigüaron los testigos del accidente.

d) La lengüeta / lengueta de los zapatos es de piel.

e) La gimnasia / guimnasia es una asignatura obligatoria en primaria.

f) No creo que averigües / averiges el origen de tus problemas.

g) El paraguas / paragüas de Ana es gris y siempre lo guarda / güarda en el paraguero / paragüero de la entrada.

h) No pudo averiguar / averigüar quién era el asesino.

i) El año pasado fragüé / fragué un cuidadoso plan para la fiesta sorpresa de José.

j) Soy feliz y mi futuro es halagüeño / halagueño.

k) El girasol / guirasol embellece nuestros campos.

l) Me da verguenza / vergüenza decirte que no tengo dinero.

m) La agencia / aguencia de viajes nos gestiona / guestiona los pasajes a Guinea / Ginea.

n) Se desencadenó una fuerte tormenta y los relámpagos / relámpaguos eran continuos.

Se escriben con *g*

Las palabras que empiezan por *gene-*, *geni-*, *geo-*, *gest-* y *legi-*: *genealogía*, *genio*, *geología*, *gestar*, *legible*.

EJERCICIO 46

Escribe *g* o *j*.

a) Un ...esto amable de mi compañero me alegró el día.

b) La ...eometría es mi asignatura favorita.

c) La ...eneración de la música rock vuelve a escuchar a Elvis.

d) Si suspendo el examen de reválida me voy a la le...ión.

e) No ...esticules tanto para explicar el tema de las oposiciones.

f) La ...inecóloga asistirá al parto junto a la comadrona.

g) La le...islación española persigue este tipo de delitos.

h) Un ...enio de las finanzas ha ...enerado grandes beneficios para la empresa.

i) La ...eografía española ofrece paisajes muy variados.

j) Un ciclista español realizó la ...esta de ganar cinco veces el Tour de Francia.

k) La le...ía mancha las prendas de color.

l) La ...inebra se aromatiza con bayas de enebro.

EJERCICIO 47

Elige la forma correcta.

a) La gestación / guestación humana dura nueve meses.

b) No creo que gestiones / guestiones la venta de la casa con esa inmobiliaria.

c) Los guélogos / geólogos de tu empresa conocen este terreno.

d) Está reconstruyendo su árbol guenealógico / genealógico con ayuda de su bisabuelo.

e) La guénesis / génesis de tus problemas está en tu falta de interés.

f) Los genes / guenes determinan los caracteres hereditarios de los seres vivos.

g) Creo que es legítimo / lejítimo apoyar las causas humanitarias.

Las palabras que terminan en:

-*algia*, 'dolor': *nostalgia, neuralgia*;

-*gen* y sus derivados -*gíneo*, -*ginal*: *virgen, virgíneo, virginal, aborigen, origen, original.*

-*giénico* y -*ginoso*: *higiénico, ferruginoso.* Excepción: *aguajinoso*;

-*gía*: *elegía.* Excepciones: *apoplejía, bujía, canonjía, crujía, hemiplejía, herejía, monjía* y *paraplejía*;

-gio/a: plagio, hemorragia. Excepciones: *bajío, lejío y monjío;*

-gencia, -gente: regencia, vigente;

-geno y sus derivados, *-génico, -génito, -genio: hidrógeno, fotogénico, primogénito, ingenio;*

-gélico, -genario, -gético, -gésimo, -gesimal: evangélico, sexagenario, sexagésimo, sexagesimal, energético;

-ginoso: cartilaginoso;

-gión y sus derivados *-gional, -gionario: región, regional, legión, legionario;*

-gioso y *-gírico: religioso, panegírico;*

-gismo, -gista: ecologismo, ecologista. Excepciones: *salvajismo y espejismo;*

-logía y sus derivados *-lógico/a, -logismo* y las terminaciones *-gogia* y *-gogía: cronología, antológico, silogismo, demagogia, pedagogía.*

EJERCICIO 48

Escribe *g* o *j*.

a) Salgo favorecido en las fotos, soy muy foto...énico.

b) Para limpiarle los ojos al niño utilizo una gasa hi...iénica.

c) An...élica es la hermana de mi cuñada.

d) El in...enio de azúcar es el hogar de estos campesinos.

e) Lo miró con sus ojos vir...inales.

f) Estas telas están agua...inosas, por lo que no las usaré aún.

g) La ma...ia del circo vive en la ilusión de tus hijos.

h) Ayer fui al teatro a ver *La zapatera prodi...iosa* con mis amigos.

i) No seas exi...ente con tus compañeros.

j) La ima...en de la empresa estaba por los suelos.

k) El enlace sindical re...ional viene a visitarnos la próxima semana.

l) Mostraba una voluntad re..ia.

m) La cronolo...ía de los hechos demuestra que no eres culpable.

n) El presti...ioso autor de cine lee habitualmente ese cómic.

ñ) En el último piso vive un octo...enario.

o) La hemorra...ia nasal del niño al que cuido me manchó el uniforme de trabajo.

p) Ese deseo tuyo de llegar a la luna es un verdadero espe...ismo.

q) Los le...ionarios tienen una cabra como mascota.

r) La acción se desarrolla en una ciudad ima...inaria.

s) La mejor pedago...ía es dialogar con los alumnos.

t) Juan se ha convertido en un caso patoló...ico.

u) El primo...énito de mi hermano se llama Antonio.

v) Las hojas cru....ían bajo nuestros pies.

w) Estoy cada día más flexible y li...era gracias a la gimnasia.

x) Señores pasa...eros, bienvenidos a bordo.

y) La litur...ia del sacramento del matrimonio es muy simbólica.

z) La ley vi...ente no permite el aparcamiento en doble fila.

Las palabras que terminan en *-ígeno, -ígena, -ígero, -ígera: alienígena, oxígeno, alígera, belígero.*

EJERCICIO 49

Completa las palabras y relaciónalas con su significado.

CADA OVEJA CON SU PAREJA

a) indí...ena

b) alí...era

c) cancerí...eno

d) oxí...eno

e) trilo...ía

f) vi...ésimo

g) abori...en

h) demago...ia

i) aliení...ena

j) nostal....ia

k) flamí...ero

1. que sigue en orden al que hace el número 19

2. capaz de provocar la enfermedad cancerosa

3. alguien o algo que tiene su origen en la zona en que se vive

4. conjunto de tres obras literarias de un autor que forman una unidad

5. empleo de halagos fáciles y promesas infundadas para convencer a un determinado público

6. extraño, extraterrestre

7. dotado de alas

8. originario de un determinado país

9. elemento químico gaseoso

10. tristeza por la ausencia

11. que arroja o despide llamas

Ejercicio 50

Elige la forma correcta.

a) Estas pastillas me curan la neuralgia / neuraljia que padezco.

b) El origen / origuen de esa tradición se encuentra en mi pueblo.

c) El aborigen / aboriguen vivía en plena selva.

d) Jorge hizo su doctorado en Veterinaria sobre los tejidos cartilaginosos / cartilaguinosos.

e) Recorrimos el circuito a una velocidad vertiguinosa / vertiginosa.

f) No creo que su novela sea un plaguio / plagio.

g) Está buscando una mujer fotogénica / fotoguénica para su película.

h) Como soy un entusiasta de la cineguética / cinegética este verano cazaré perdices en los cotos ecológicos.

i) Los religiosos / relijiosos hacen voto de pobreza.

j) La analogía / analojía entre contrarios es difícil de comprobar.

k) Siento tanta nostalgia / nostalguia de mi tierra que apenas duermo.

l) En esta habitación no hay el suficiente oxígeno / oxígueno.

Las palabras en que el fonema velar sonoro va delante de cualquier consonante, ya sea de la misma sílaba o de sílaba distinta: *grito, griego, glucosa, glacial, dogmático, signo, impregnar, repugnancia.*

Ejercicio 51

Completa las palabras y relaciónalas con su significado.

CADA OVEJA CON SU PAREJA

a) ...lobo

b) ...rafía

c) beni...no

d) ...ranuja

e) consi...na

f) ...lucosa

g) do...ma

h) ...ruñido

i) ...reña

1. sonido ronco
2. esfera
3. letra
4. pícaro
5. bondadoso
6. conjunto de verdades que rigen una religión
7. azúcar
8. lugar en el que se depositan las maletas en los aeropuertos y estaciones
9. cabello revuelto

Las voces derivadas y compuestas de otras que se escriben con *g: gas-gaseosa, gentil-gentilhombre, gigante-gigantesco, golfo-golfería, guardar-guardarropa, gestor-gestoría, enigma-enigmático.*

EJERCICIO 52

Escribe *g* o *j* y relaciona cada palabra con su derivado.

CADA OVEJA CON SU PAREJA

a) prodi...io	1. significado
b) ...el	2. prodigioso
c) ....aita	3. gallinero
d) ....allina	4. gelatina
e) si...no	5. gaitero
f) indi...nar	6. indignación
g) ...ato	7. gatera
h) reli...ión	8. garbancero
i) ....arbanzo	9. jamonera
j) len...ua	10. religiosidad
k) ....amón	11. lengüeta

Los verbos terminados en *-igerar, -ger* y *-gir (aligerar, proteger, fingir)* y las correspondientes formas de su conjugación, excepto cuando el sonido [x] va delante de *a, o: protege, fingía,* pero *proteja, finjo.*

Excepciones: *tejer, crujir* y sus derivados *(entretejer, recrujir,* etc.).

EJERCICIO 53

Elige la forma correcta.

a) Marcos cojió / cogió su mochila antes de irse al colegio.

b) No creo que protejan / protegan la entrada guardias jurados.

c) En este momento me dirijo / dirigo a la biblioteca.

d) Antonio dirige / dirije una sucursal de banco en Madrid.

e) Elegí / elejí el color tierra para pintar esa pared.

f) Elige / elije una carta e intentaré adivinarla.

g) Este verbo rije / rige la preposición 'a'.

h) Creo que te afliges / aflijes por tonterías.

i) Los alumnos tejieron / tegieron bufandas para los ancianos.

j) La polémica surgió / surjió por la noticia publicada ayer.

k) Oímos crugir / crujir la madera y pensamos que las vigas no aguantarían el peso.

EJERCICIO 54

Escribe _g_ o _j_ y relaciona cada palabra con su significado.

CADA OVEJA CON SU PAREJA

a) Al in...erir ese refresco no me gustó su dulzor.

b) No creo que debas in...erirte en sus negocios.

c) La peonza ...ira en el suelo.

d) En la ...ira del colegio llevamos bocadillos.

e) Los ...ibraltareños conocen esos asuntos.

f) El gara...e está en la calle de atrás.

g) La in...erencia de los jefes molesta a los obreros.

h) En el extran...ero nos dimos cuenta de lo bien que hablamos inglés.

i) Compré los clavos en la tienda de bricola...e.

j) Los here...es fueron condenados.

1. el que sostiene ideas que se consideran equivocadas

2. introducir algo por la boca

3. merienda campestre

4. dar vueltas

5. lugar donde se guarda el coche

6. trabajo manual que se realiza en el tiempo libre

7. país o países distintos del propio

8. intromisión

9. originario de Gibraltar

10. entrometerse

Muchas palabras llevan la _g_ en posición final de sílaba: _dignidad, ignorancia, magnífico._

La _g_ puede ir seguida de _n_ en algunas palabras: _gnosis, gnoselógico, gnomo_ (también _nomo_), _gnóstico_ (o _nóstico_), _agnóstico._

EJERCICIO 55

Completa.

a) Las ma...nolias huelen en primavera con más fuerza.

b) I...nacio crece con mucha rápidez.

c) Mi historia trata de un ser fantástico o ...nomo del bosque.

d) El ma...nesio es de color plata.

e) Ana hizo el si...no de la victoria al llegar a la meta.

f) Mi profesor era a...nóstico y con frecuencia hablaba de su inca-pacidad para creer en el más allá.

g) En el ma...netófono suena una balada de Julio Iglesias.

h) Los do...mas son principios que no pueden ponerse en duda.

EJERCICIO 56

Escribe *g* o *j*.

a) El ...ermen de la discordia estaba en el testamento.

b) No pienso que sea le...al asistir a la reunión con esa pancarta.

c) Las le...umbres te ayudan a in...erir la fibra necesaria en tu ali-mentación.

d) Es le…endaria la presencia de los ...nomos en los cuentos po-pulares.

e) Quiero su...erir un cambio de postura en el sindicato.

f) El conta…io del virus se debe a las malas condiciones hi...iénicas.

g) Mi amigo tiene apople...ía a causa de un accidente.

h) La ...ente que conozco no tiene vacaciones en enero.

i) El niño comió muchas verduras y ahora padece aerofa...ia.

j) La beren...ena asada es exquisita.

k) El protagonista de la película estaba tan ena…enado que no co-nocía a su mujer.

l) Las bu...ías del coche se venden en cualquier tienda de repuestos.

m) Anoche fui a ur...encias porque había comido marisco en mal estado.

n) La ener...ía del sol puede ayudarnos a ahorrar electricidad.

ñ) Es paradó...ico que seamos pobres después de ...anar tanto dinero en la Bono-loto.

o) El ...endarme nos pidió la documentación.

p) Aunque me operara de las an...inas no cantaría mejor.

q) Esas aspiraciones tuyas son un puro espe...ismo.

r) Los pin...üinos me recuerdan a un señor con frac.

s) Si hubiera fin...ido un desmayo, hoy sería un hombre rico gracias al seguro.

t) A lo mejor re...istro esta melodía para un anuncio de TV.

u) Dijo que exi...ía lo que se merecía por su contrato de ejecutivo.

v) Es lógico que diri...a ese ne...ocio porque la idea fue suya.

w) El afli...ido enfermo no recibió sus anal...ésicos a tiempo.

x) La anti...üedad de esa pieza no está clara para el tasador.

y) En el piso tri...ésimo se paró el ascensor y tuvimos que subir a pie.

3.11. J, j

J + A, E, I, O, U
representa el fonema velar fricativo sordo /x/: *jarabe, jefe, jirafa, jocoso, jurado.*

EJERCICIO 57

Elige la forma correcta.

a) El jamón / gamón serrano se debe acompañar de un buen vaso de vino.

b) El pelo de los gatos / jatos me da alergia / alerjia.

c) El juicio / guicio por esa demanda empezará en ajosto / agosto.

d) Cada joya / goya cuesta 3.000 euros.

e) Juan / Guan es amigo de mi hija Angustias / Anjustias.

f) La gudicatura / judicatura promete cambios en la legislación / lejislación.

g) Los sefardíes son los judíos / gudíos expulsados de España y sus descendientes.

h) El garrón / jarrón del salón es de Toledo.

i) Me dijo / digo toda la verdad.

Se escriben con *j*

Muchas palabras que terminan en *-aje, -eje, -jería: oleaje, fichaje, hereje, cerrajería.*

La *j* puede aparecer en posición final de palabra: *reloj, boj.*

EJERCICIO 58

Escribe *j* o *g*.

a) Si te...es con esa madeja de hilo no terminarás hasta el próximo mes.

b) El cónyu...e de tu vecina es panadero, por eso se levanta tan temprano.

c) La bru...ería es un tema que apasiona a Mario.

d) Tenía tanta prisa que hice esos recados a contrarrelo...

e) El olea...e rompió la entrada de la casa de la playa.

f) Voy a plantar un esque...e de esa planta en el ...ardín.

g) Compré este regalo en la relo...ería de la esquina.

h) El mon...e del cuadro lleva en las manos una ima...en de San Antonio.

i) El via...e por Galicia fue muy interesante gracias al ...uía.

j) El e...e de esa rueda no soportará el peso de la mercancía.

k) El enca...e es de seda y tiene detalles de pedrería.

l) La conser...ería está llena de alumnos.

Las palabras derivadas y compuestas de otras que llevan *j: pájaro-pajarería, juerga-juergista, caja-cajero, rojo-infrarrojo.*

EJERCICIO 59

Completa las palabras y relaciónalas con sus derivados o compuestos.

CADA OVEJA CON SU PAREJA

a) ...abón	1. nochevieja
b) ...amaica	2. jornalero
c) ...efe	3. enjabonar
d) ...aspe	4. jamaicano
e) ...ornal	5. jefatura
f) ro...o	6. jaspeado
g) vie...a	7. rojizo
h) ove...a	8. cajero
i) ...udío	9. ovejero
j) ca...a	10. judaísmo

EJERCICIO 60

Escribe *j* o *g.*

a) El breba...e sabía muy mal pero me ayudaba a respirar.

b) El ...lobo terráqueo de Inés es de plástico, pero le da una visión ...lobal de todos los países.

c) Julio el gran...ero tiene ove...as en su gran...a.

d) El relo... daba las siete cuando llegó Teresa con I...nacio el relo...ero.

e) El boti...ero vende boti...os a los turistas.

f) El cortometra...e se proyectó en el cine del barrio.

g) En la obra de teatro una joven le hacía chanta...e a un rico empresario.

h) La niña pelirro...a hará un nuevo anuncio de ropa infantil.

i) Las historias del abuelo me hacen re...uvenecer.

j) Tu hermano me dio un ...uantazo y desde entonces no nos hablamos.

Aquellas formas verbales cuyo infinitivo se escribe con *j*: *trabajar-trabaje-trabajemos; tejer-teje; crujir-cruje.*

EJERCICIO 61

Elige la forma correcta.

a) Es cierto que trabajo / trabago en una tienda de golosinas.

b) Es mentira que teja / tega con hilo de oro.

c) Nos mogamos / mojamos porque no llevábamos paraguas.

d) Digas lo que digas, las noticias te han regocijado / regocigado.

e) Ojalá deje / degue de llover en el campo de fútbol.

f) Nos gustaría que rebagaras / rebajaras el precio de los muñecos.

g) Quizás los muebles crugan / crujan con el frío de la noche.

h) Es probable que maneje / manege más dinero dentro de un año.

i) Tal vez me mogue / moje en la excursión del sábado.

j) A lo mejor puedo entretejer / entreteger estos trozos de tela.

Los verbos terminados en *-jear: canjear, cojear.*

EJERCICIO 62

Completa y relaciona cada palabra con su significado.

CADA OVEJA CON SU PAREJA

a) co...ear

b) carca...ear

c) homena...ear

d) tra...ear

e) pintarra...earse

f) chanta...ear

g) can...ear

h) lison...ear

i) o...ear

j) ho...ear

1. mirar con atención

2. presionar a alguien para obtener un beneficio

3. andar inclinando el cuerpo a un lado por no pisar igual con ambos pies

4. reírse con fuerza

5. vestir de forma más elegante de lo habitual

6. realizar un acto público en honor de alguien

7. hacer un cambio

8. maquillarse mucho y mal

9. adular

10. mirar las hojas de un libro

El pretérito indefinido, y el pretérito imperfecto y el futuro imperfecto de subjuntivo irregulares de los verbos que terminan en *-ducir,* y que en su infinitivo no tienen ni *g* ni *j: conduje, condujiste, condujera, condujere,* de *conducir.*

Lo mismo les sucede a los verbos *traer, decir* y sus derivados: *trajiste, trajo, trajeran,* de *traer; dije, dijerais, dijeren,* de *decir.*

EJERCICIO 63

Completa.

a) Posiblemente adu...era robo con violencia para obtener una mayor indemnización.

b) Me aconsejaron que recondu...era mi vida nocturna en vista de mis problemas de salud.

c) No creo que reprodu...cas mis palabras en público.

d) Sedu...e a mi compañero para que me prestara sus apuntes de Lengua.

e) Di...o que conocía toda la historia de este club.

f) En el trabaje adu...e problemas de salud para que me cambiaran de puesto.

g) Es normal que dedu...era esos gastos del pago a Hacienda.

h) Digas lo que digas, condu...iré toda la noche.

i) Condu...imos todo el día para llegar a nuestro destino antes de que anocheciera.

j) Hace unas semanas di...eron que no conocían a este individuo, y ahora van juntos al cine.

k) Ayer tra...e una caja de bombones a la oficina y hoy no queda ni uno.

l) Hoy mismo trai...o el abrigo que me compré tan barato en las rebajas.

3.12. g, j

SONIDO	GRAFÍAS	POSICIÓN	A	E	I	O	U
[g] velar sonoro	g + a, o, u gu + e, i gü + e, i (suena la u) g + consonante -g final de sílaba	ante vocal	GA *gaita*	GUE *guerra*	GUI *seguir*	GO *golfo*	GU *gusano*
		ante diptongo	GUA *guardar*	GÜE *cigüeña*	GÜI *pingüino*	GUO *antiguo*	–
		ante l	GLA *glacial*	GLE *ingle*	GLI *glicerina*	GLO *globo*	GLU *glucosa*
		ante r	GRA *grasa*	GRE *greña*	GRI *grillo*	GRO *grosor*	GRU *gruta*
		final de sílaba	AG *agnóstico*	EG *impregnar*	IG *ignorancia*	OG *dogma*	UG *repugnancia*
[x] velar sordo	j + cualquier vocal g + e, i -j final de palabra	ante vocal	JA *jamón*	JE: *jefe* GE: *geranio*	JI: *jirafa* GI: *gitano*	JO *jovial*	JU *jugar*
		final de palabra (*términos poco usados)	AJ *carcaj**	EJ *relej**	IJ *dij**	OJ *reloj**	UJ *cambuj**

EJERCICIO 64

Completa el texto.

Estaba muerto por in...erir comida en mal estado. Mi cuerpo tenía una temperatura ...lacial. Durante mi entierro mi amigo Genaro Granells había pronunciado un pane...írico maravilloso, y el cura sólo hablaba del do...ma de la existencia del cielo, en el que vivían los ángeles, y del infierno, en el que moraban los seres mali...nos.

No sabía que hubiera sido tan buena persona. Estaba claro que me esperaba un porvenir an...élico, y no lo pensé más. En la sala de espera todo era blanco e hi...iénico, y en la larga fila que formábamos los difuntos yo era el número tri...ésimo. Todo era un poco raro: esperaba una luz, un túnel y, sin embargo, subimos en un tren. Una vez allí, una voz enér..ica nos comunicó que íbamos a iniciar una ...ira por la otra vida hasta nuestro destino.

Por el camino algunos difuntos comenzaron a discutir sobre esta extraña forma de llegar a la vida eterna. Yo no quería hablar porque aquel paisa...e me recordaba a mi G...anada natal y, a lo mejor, ésta era mi forma de vivir el cielo. El tren avanzaba y el ambiente se volvía más flamí...ero. No me parecía ló...ico y me acerqué a uno de mis compañeros de via...e para preguntarle:

—¿Conoce usted el destino de este tren?

—No lo sé, aunque esto se detiene, así que pronto lo sabremos.

Tenía razón. Al poco nos bajamos de los vagones y, al hacerlo, me en...anché en la puerta y se me hizo un ...irón en la ropa. Intenté detenerme para comprobar el des...arrón; pero un señor con pinta de ...efe me empujó diciendo:

—No se detenga, que va a salir el si...uiente tren de inmediato.

Me di mucha prisa y en el nuevo tren iniciamos un nuevo via...e. Y esto una vez y otra. De momento ya me he montado y me he bajado de 250 trenes. Ahora he comenzado a viajar en autobús. Después de esta experiencia, tengo clara una cosa: ¡Estoy en el pur...atorio!

EJERCICIO 65

Completa el texto.

Madrid, 7 de enero de 2002

Querida hermana:

Espero que te encuentres muy bien cuando recibas estas líneas y que tanto tú como los tuyos hayáis pasado unas buenas vacaciones de Navidad alo...ados en tu nueva casa de Sidney. ¡Qué suerte vivir en el extran...ero!

Yo estoy cada día más centrada en mi empeño por ser una buena dibu...ante, pero las cosas se complican cuando las musas pasan de mí y no se me ocurre ninguna buena historia que dibu...ar. En esos días, me siento en mi sofá color beren...ena para rela...ar los músculos, mientras me pregunto si las musas están de vacaciones por el Caribe, y me pongo a soñar despierta.

Por esta razón, al...unas veces, cuando me levanto cada mañana, mamá me dispone una lista entera de recados que tengo que hacer antes del mediodía porque no ficho en mi traba...o: ba...a a comprar el pan, ayúdame con la made...a de te...er, acompáñame a las reba...s, saca al perro, sube la compra del híper, averi...ua la hora de la telenovela, etc.

Como ves, hermanita, estoy cada día muy entretenida y no renuncio del todo a mi idea de dedicarme profesionalmente al dibu...o; pero el día menos pensado, como soy la ben...amina de la casa y no tengo ...randes responsabilidades, me lío la manta a la cabeza* y te voy a ver a Sidney. ¿A ti qué te parece? Contéstame, ...uapetona.

Te quiere tu hermana pequeña,

Guiomar

3.13. H, h

> ### Se escriben con *h*
>
> Todas las formas de los verbos que empiezan por *h*: *haber (he, había, hubo), hacer (haga, hicieron), hallar (hallaremos, hallen), hablar (hablará), habitar (haya habitado)*, etc., y de los verbos compuestos: *deshacer, rehacer, deshabitar*, etc.

EJERCICIO 66

Completa.

a) ...gas lo que ...agas, te contrataré como imagen de mi pequeña empresa de modas.

b) ¿...as comido cerca de tu trabajo?

c) Dijo que ...allaría la forma de comprarme un nuevo coche sin meternos en una hipoteca.

d) Si ...an ...ablado personalmente contigo de un aumento de sueldo, debes pensar que es cierto.

e) Si ...ubiera ido a España en verano, ...ablaría mejor el español.

---

*Liarse la manta a la cabeza: lanzarse a hacer algo sin pensar en las consecuencias.

f) No creo que esa especie de pájaros ...abite en esta zona tan seca.

g) Lo vi ...ablando con el jefe sobre el asunto del permiso.

h) Con ...abitar esa casa abandonada no te convertirás en su dueño.

i) Si bien el portero ...ace muchos recados, su principal trabajo es barrer la portería del edificio.

j) Si me marcho en este momento, a lo mejor ...allo el chollo de mi vida en las rebajas.

k) Creo que ...ago demasiado caso a mi aspecto físico.

l) Después de las correcciones es posible re...acer el texto.

Los compuestos y derivados de los vocablos que tengan esta letra: *gentil-hombre (gentil + hombre); hortelano* (derivado de *huerto*).

Excepciones: *hueco (oquedad); hueso (óseo, osificar); huérfano (orfanato, orfandad); huevo (óvulo, ovario, ovalado).*

Las palabras que empiezan por los diptongos *ia, ie, ue* y *ui: hiato, hiedra, huevo, huir, huelo* (del verbo *oler*).

Algunas palabras usadas en Hispanoamérica que comienzan por *hue-* o por *hui-* pueden escribirse también con *güe-* y *güi-*, respectivamente:

huemul / güemul	*huiro / güiro*
huero / güero	*huisquil / güisquil*
huillín / güillín	*huisquilar / güisquilar*
huipil / güipil	

EJERCICIO 67

Escribe *h* donde sea necesario.

a) ...ielo	i) ...iena
b) ...óseo	j) ...uéspedes
c) ...iedra	k) in...óspito
d) ...iel	l) re...acer
e) des...uesar	m) ....olores
f) ...ierba	n) ....ojaldre
g) ...uemul	ñ) ...orfanato
h) ...ueco	o) ...ierático

Los siguientes grupos de **homófonos** (palabras que se pronuncian del mismo modo pero se escriben de forma distinta y tienen distinto significado) sólo se diferencian en la presencia o ausencia de la *h*:

había / avía: *El jardinero había cortado la hierba por la mañana.*
Ana te avía las maletas en un periquete.

habría / abría: *Él habría comido antes de llegar a casa, por eso no quería cenar.*
Pensé que este paquete se abría con facilidad.

hala / ala: *¡Hala, cómo puedes comer tan deprisa los bombones!*
El ala del avión surca el cielo con rapidez.

hasta / asta: *En la carrera llegamos hasta Logroño capital.*
El toro se ha roto el asta en una pelea.

hato / ato: *Era tan pobre que metió todas sus pertenencias en un hato de tela.*
Si quieres ato esas bolsas de caramelos con un hilo de seda.

hecho / echo: *Hoy he hecho las tareas muy tarde.*
Dame la carta y la echo en el buzón.

deshecho / desecho: *Con tantos nervios he deshecho la maqueta.*
El carnicero limpia la carne y tira el desecho a la basura.

hojear / ojear: *Voy a hojear este libro.*
Suele entrar en Internet para ojear los titulares de las noticias.

ha / a / ah: *Antonia ha subido al tercer piso.*
Este mes iré a la reunión de la asociación.
";Ah, qué bonito!", exclamó la joven ante el regalo.

haya / aya: *Aunque haya ido todos lo días a la biblioteca, sigue sin aprobar.*
El haya es un árbol muy apreciado por su madera.
El aya cuida a mis sobrinos con cariño.

hora / ora: *A última hora de la mañana me cuesta mucho trabajar.*
El sacerdote ora por sus parroquianos.

hola / ola: *Al entrar dije un "hola" tan fuerte que me oyeron todos.*
En la playa, la fuerte ola me mojó la sombrilla.

honda / onda: *La presa no se llena nunca de agua porque es muy honda.*
Los indígenas se defendían con una honda.
Ese programa se emite por onda corta.

hizo / izo: *Ella hizo todos los recados en una hora.*
Yo no izo la bandera hasta que no lo ordene el capitán.

rehusar / reusar: *Pude rehusar su oferta porque ya tenía otro contrato.*
Estos recipientes se podrán reusar el próximo año.

huso / uso: La criada todavía utilizaba el huso para hilar.
Esas maquinillas de afeitar son de un solo uso.
Yo no uso el ordenador.

herrar / errar: Si vas a herrar al caballo vete a un buen profesional.
Al leer puedes errar con facilidad.

Muchas palabras llevan una *h* en el interior: *adherir, ahínco, alhaja, almohada, bahía, búho, bohemio, cohete, enhebrar, exhalar, exhortar, inhibir, moho, vaho, vehículo, zanahoria.*

La *h* intercalada aparece en palabras que llevan el diptongo *ue* precedido de vocal: *cacahuete, vihuela, aldehuela.*

EJERCICIO 68

Escribe *h* donde sea necesario.

a) Ese ad...esivo me lo regalaron los médicos del ...ospital.

b) En la visita a la Sociedad ...ósea aparqué mi coche en la entrada del edificio.

c) Con ese líquido se a...uyentan los mosquitos.

d) La ve...emencia del entrenador in...ibió a los jugadores.

e) Los caca...uetes se venden en bolsas ...echas en España.

f) ...eché los restos de comida en el cubo de la basura.

g) Te he pro...ibido comer dulces para que adelgaces de una vez.

h) Estos ...olores de la ba..ía son consecuencia de la contaminación de las aguas.

i) El bo...emio re...usaba trabajar por tan poco dinero.

j) El ve...ículo ...abría llegado antes de las 12 del mediodía.

k) Las zana...orias se comen ...a todas ...oras del día.

l) Al coser esas almo...adas puedes ...errar en los puntos.

m) El co...ete cayó en una zona muy ...onda.

n) Al ...ojear el menú puedo comprobar los precios del restaurante.

ñ) La alca...ueta es una figura femenina que aparece en muchas obras clásicas.

Las palabras que comienzan por los siguientes elementos compositivos:

hecto-, 'cien': *hectómetro*
helio-, 'sol': *heliocéntrico*
hema-, *hemato-*, *hemo-* 'sangre': *hematíes, hematoma, hemofílico, hemoglobina*
hemi-, 'medio, mitad': *hemisferio, hemiciclo*
hepta-, 'siete': *heptágono*
hetero-, 'otro, diferente, distinto': *heterosexual*
hidra-, *hidro-* 'agua': *hidratar, hidrofobia*
higro-, 'humedad': *higrometría*
hiper-, 'excesivo o superior a lo normal': *hiperactivo, hipermercado*
hipo-, 'por debajo de lo normal, escasez de': *hipocalórico, hipocondríaco*
holo-, 'todo': *holocausto*
homeo-, 'semejante, parecido': *homeopatía*
homo-, 'igual': *homonimia*

EJERCICIO 69

Completa y relaciona cada palabra con su significado.

CADA OVEJA CON SU PAREJA

a) des...echo

b) ...ematoma

c) ...idratar

d) ...eterosexual

e) ...emiciclo

f) ...uso

g) ...emoglobina

h) ...eptágono

i) ...emisferio

j) ...óvulo

k) ...emofílico

l) ...ipermercado

m) ...ipocondríaco

n) ...errar

ñ) ...olocausto

o) ...omonimia

1. que padece la enfermedad que consiste en que la sangre no se coagula de forma normal
2. resto o cosa que sobra
3. zona bajo la piel en la que se acumula la sangre
4. sustancia que da el color rojo a la sangre y que sirve para transportar el oxígeno
5. mitad de la Tierra
6. edificio que tiene forma de medio círculo
7. figura plana de siete lados
8. relación sexual que se da entre individuos de sexos distintos
9. tratar la piel para que no se seque
10. célula sexual femenina
11. coincidencia en la pronunciación o en la escritura de dos palabras con distinto significado
12. mercado muy grande
13. persona que se preocupa demasiado por su salud
14. muerte de un gran número de personas
15. clavar piezas de hierro en los cascos de un caballo
16. moda o costumbre

Algunas interjecciones: *oh, hurra, huy, hala, bah, eh.*

Las palabras que empiezan por los siguientes elementos:

herm-: hermano, hermafrodita   *horm-: hormiga, hormonal, horma*

hern-: hernia   *hosp-: hospital, hospedaje*

hog-: hogaza, hogar   *histo-: historia, historieta*

holg-: holgar, holgado, holgazán   *hum-: humano, humildad*

EJERCICIO 70

Escribe *h* donde sea necesario.

Aunque mucha gente nos mira con compasión, yo particularmente estoy muy orgulloso de ser como soy. Entre otras ventajas tenemos las siguientes: somos ...ermafroditas y nunca tenemos problemas sexuales. También, gracias a la escasa velocidad de nuestros movimientos, nos evitamos más de una ...ernia.

Además, no necesitamos ...ogar, ya que nos ...ospedamos en nuestra propia concha. Y lo mejor: nunca estamos solos porque tenemos decenas de ...ermanos que tienen el mismo aire de familia.

Ese parecido es fuente de inspiración para muchos dibujantes, y eso que para algunos somos feos, aunque la ...ermosura es cuestión de gustos. Quizá el que no seamos tan populares nos ayude a ser más ...umildes.

En cuanto a nuestro cuerpo, los más remilgados sólo se fijan en que es ...úmedo, y nos consideran material de des...echo. Pero esto nos proporciona una gran comodidad y nos evita ...eridas y roces.

Además, a la ...ora de comer no somos muy molestos: con una gran ...ogaza de pan tenemos comida para toda la vida.

Un punto negro en esta ...istoria es que nos entra la ...isteria cuando nos empujan a una ...oguera, pero el resto del tiempo somos de lo más tranquilos. ¡Ba..., para otros las prisas y las complicaciones! Yo me quedo con mi vida de caracol.

EJERCICIO 71

Elige la forma correcta.

a) El huso / uso del museo es de madera de pino.

b) El texto no tiene hilación / ilación y por eso no se entiende.

c) Las olas / holas vienen a morir a la playa.

d) Me corté el dedo mientras abría / habría la lata de sardinas.

e) Aunque pueda herrar / errar en la elección, no descansaré hasta / asta haberlo hecho.

f) A la paella siempre le hecho / echo aceite de oliva.

g) He hecho / echo una cometa con papel negro y cintas de colores.

h) El libro se debe hojear / ojear con detenimiento.

i) Pinté un vagabundo con su hato / ato y su perrito.

j) Yo hizo / izo el estandarte del colegio en cada fiesta escolar.

k) Si oras / horas en la catedral, acuérdate de encender una vela en el altar de la Virgen.

l) Es dudoso que Rocío haya / aya visto un ovni como asegura.

m) Si hubiera sembrado a tiempo, abría / habría recogido una buena cosecha.

n) A estas horas / oras conocemos la solución del enigma que nos ha ocupado toda la tarde.

3.14. Ll, ll

Se escriben con *ll*

Las palabras terminadas en *-illo*, *-illa* y *-ullo*: *tomillo, morcillo, arcilla, camilla, arrullo.*

Muchos verbos que terminan en *-illar*, *-ullar* y *-ullir*: *apolillar, mullir, patrullar.*

Homófonos con *ll / y:*

arrollo / arroyo: *Por poco te arrollo con el patinete.*
El cristalino arroyo cruzaba la finca.

callado / cayado: *Antonio estuvo callado toda la fiesta.*
El pastor lleva un buen cayado.

calló / cayó: *Elena calló ante la evidencia de las pruebas.*
La niña se cayó por culpa del suelo resbaladizo.

halla / haya: *Eloy se halla en la mejor fase de su enfermedad.*
El armario es de madera de haya.
Puede que el café haya subido de precio, pero tú sigues bebiendo muchas tazas.

hulla / huya: *Habla con propiedad: esto que ves es hulla, no lo llames carbón.*
Aunque huya al extranjero, la policía le pisa los talones.

malla / maya: *La malla se remienda con cuidado.*
La cultura maya pervive en la actualidad.

olla / hoya: *Cocina el pescado en la olla de barro.*
En esa montaña hay una hoya muy profunda.

pollo / poyo: *Hoy comeremos pollo con guisantes.*
Está sentado en el poyo de la cocina.

pulla / puya: *Nunca peleo con los puños, prefiero soltar una pulla.*
El picador pinchó mal con su puya.

rallar / rayar: *Al rallar el pan procura que no caiga nada al suelo.*
La pintura del coche es fácil de rayar con un roce.

rallo / rayo: *Yo mismo rallo el coco para hacer el pastel.*
Cayó un rayo durante la tormenta.

valla / vaya: *La valla publicitaria afeaba el paisaje.*
No creo que vaya a Baleares este verano.

EJERCICIO 72

Completa el texto.

Cuando me levanté de la cama, me di cuenta de que anoche había dejado el cigarri...o consumiéndose sobre la mesi...a, que estaba ra...ada por el continuo uso. "Este despiste podía haber provocado un incendio", mascu...é con mucha pereza. Encendí la única bombi...a que alumbraba la diminuta habitación del hotel en el que me encontraba porque aún no se veía con claridad. La ventana tenía una cortina muy apoli...ada y en el exterior la tormenta seguía descargando ...uvia y ra...os.

Al incorporarme, un fuerte dolor en las costi...as me recordó la paliza del día anterior. Aquel tipo, "el Po...o de los Arenales", golpeaba muy fuerte. Mi entrenador no me había avisado de nada extraño; al contrario, me había asegurado que sería una pelea senci...a. Y a la chita ca...ando* me concertó un combate; pero aquel "po...ito" tenía unos grandes brazos que parecían morci...as y sus puños eran duros como rocas.

Aun así podía haber ganado, ya que su mandíbula era blanda como arci...a. Yo al principio me movía con rapidez, ágil como una ardi...a, y esquivaba todos sus golpes mientras me chi...aba mi entrenador.

Uno de esos golpes impactó en mi cara. Como siempre, bajé la guardia, y muchos golpes me obligaron a doblar la rodi...a. ¡No sé quién demonios me enseñó a mí a poner siempre la otra meji...a!

EJERCICIO 73

Elige la forma correcta.

a) El arroyo / arrollo lleva este año poco caudal.

b) La hoya / olla es tan profunda que no veo su fondo.

c) La valla / vaya del estadio ha desaparecido por indicaciones de la Federación.

d) En el pollo / poyo del jardín ha crecido una mala hierba.

e) Es un buen chico, pero lanza pullas / puyas hirientes cuando discute.

f) Hallamos / hayamos una bolsa con caramelos en el banco del parque.

g) La escultura maya / malla se encuentra a la entrada del museo.

h) Tanto se arriesgó que calló / cayó al agua desde lo alto.

i) Las naranjas se venden en maya / malla en los supermercados.

---

* *A la chita callando:* con disimulo, sin decir nada.

j) Me comería una buena olla / hoya de habichuelas con patatas.

k) Raya / ralla la zanahoria con ese nuevo electrodoméstico.

3.15. Y, y

Se escriben con *y*

Las palabras en las que el sonido palatal sonoro /y/ ante vocal sigue a los prefijos *ad-, dis-* y *sub-: adyacente, disyuntivo, subyacer.*

Las voces que contienen la sílaba *-yec-: abyección, proyección, inyectar.*

Algunas formas de los verbos *caer, creer, oír, leer, ir, poseer, proveer, sobreseer, raer,* y de los verbos acabados en *-uir: cayeran, oyó, leyendo, vayamos, yendo, poseyeran, huyendo, concluyo, atribuyera.*

Las palabras que terminan con el sonido correspondiente a *i* precedido de una vocal con la que forma diptongo, o de dos que forman triptongo: *ay, estoy, buey, ley, convoy, muy.*

Excepciones: *saharaui, bonsái.*

Los plurales de los nombres cuyo singular terminan en *y: rey-reyes.*

La conjunción copulativa *y: José y Ana; éste y aquel.* Esta conjunción toma la forma *e* ante una palabra que empiece por *i: cielo e infierno,* excepto si esa *i* forma diptongo: *tierra y hierba.*

EJERCICIO 74

Completa las frases.

a) Marcos ... Ignacio son hermanos.

b) Para empezar a leer bien se debe ensa...ar todos los días.

c) El fugitivo se pasa el día hu...endo de la policía.

d) Esto... en la dis...untiva de comprarme una casa propia o vivir de alquiler.

e) Cuando estuve enfermo me in...ectaba cada día una dosis de penicilina.

f) Aun ...endo muy deprisa, la comida no estaría lista para las 3.

g) Los re...es españoles provienen de los Borbones franceses.

h) El profesor conclu...e cada clase con un simple adiós.

i) Aun ca...endo a una velocidad media, el satélite no llegará hasta las 11 de la noche.

j) Estoy mu... contenta con tu pronta mejoría ... con que no pases todo el día ca...ado.

k) Se armó tal guiriga... en la habitación que pensamos que había entrado un ladrón.

l) ¡Cara... con el muchacho!

m) Fra... Escoba cuidaba de los pobres.

n) Combate con honor como un verdadero samura...

ñ) Paloma ... Luis se conocieron en una exposición de escultura ma...a.

o) No creo que contribu...an con un donativo inferior a 200 euros.

p) Quizás distribu...an más ayuda humanitaria en el campamento de refugiados.

q) El papaga...o del zoo hace las delicias de los niños.

r) La esca...ola del pie está muy ennegrecida por el contacto con el suelo.

s) Las ba...etas de la cocina se lavan con frecuencia con lejía.

t) A...er cruzamos un arro...o ... después subimos una montaña.

u) El po...o que se había escapado ca...ó cerca de la caseta del perro.

v) Posiblemente no o...eras hablar de esta ruta a tus padres, porque se trata de un ha...azgo reciente.

w) A...er se ca...eron las primeras frutas maduras de la cosecha.

x) Quien le...ere esta ley y no la cumpliere, será penalizado con una multa.

y) No creo que prove...eran con agua en mal estado la nueva estación de servicio.

EJERCICIO 75

Completa las siguientes frases con estas palabras:

ayo, bellotas, boya, gallo, grillo, hallazgo, pillas,
reyerta, tocayo, vallar, yerno, yerros, yugo

a) Al .... esta zona se te olvidó pedir el permiso oportuno.

b) La documentación sobre ese naufragio ha sido todo un ....

c) Los cerdos se alimentan de ....

d) La .... naranja flotaba junto al barco.

e) El .... del príncipe fue un gran hombre ilustrado.

f) No separes al .... del resto de animales.

g) Por la noches se oye a un .... en aquella zona de la casa.

h) En la .... no hubo heridos.

i) Me llamo Juanita y Juan es mi ....

j) Si .... alguna noticia, nos lo comunicas inmediatamente.

k) Los animales no pueden ir con ese .... tan sucio.

l) Tus continuos .... en las inversiones nos llevarán a la ruina.

m) El marido de mi hija es mi ....

3.16. m, n

Se escribe *m*

Antes de *b* y de *p*: *ambiente, combate, campo, ampolla.*

Al principio de palabra, precediendo inmediatamente a la *n*: *mnemotecnia.* Estas palabras pueden escribirse de forma simplificada: *nemotecnia.*

Al final de palabra, en algunos extranjerismos y latinismos: *álbum, ítem, tótem.*

Ante *n*, excepto si se trata de los prefijos *in-, en-, con-*, donde se mantiene la *n*: *solemne, himno, columna, alumno*, pero *innata, ennegrecer, connotación.*

Se escribe *n*

Antes de *v* y de cualquier otra consonante distinta de *b* y *p*: *envío, envase, invitar, áncora, transporte, renta.*

Al final de palabra, excepto los casos citados para *m*: *camión, tapón, cancán.*

EJERCICIO 76

Completa este diálogo.

(En un ba...co se encuentran Otilia y Teresa.)

OTILIA: Hola, ¿qué haces por aquí? ¡Qué ganas tenía de verte para i...vitarte a una fiesta!

TERESA: Vengo a pedir hora para hacer la declaración de la re...ta.

OTILIA: ¿Y tu hijo Abraha...? Me dijeron en el mercado que fue el ca...peón de las oli...piadas i...fantiles.

TERESA: Sí, es verdad. Si hubieras visto a su padre e...tusiasmado, loco con su hijo. Hoy mismo están los dos de excursión en el ca...po con los alu...nos de mi marido, y por eso aprovecho para arreglar los papeles de Hacie...da.

OTILIA: ¿Qué número tienes? Yo, el oche...ta y seis.

TERESA: Pues asó...brate: yo, el cie...to seis. Me tocará esperar un rato. Y yo con este i...permeable mojado. En fi..., espero que la vitamina C que me estoy toma...do haga efecto.

OTILIA: Mañana celebramos el cu...pleaños de A...brosio. ¿Vendrás al cu...ple? Será en la cafetería San Sebastiá...

TERESA: Por supuesto, dame una tarjeta, porque te co...fieso que no te...go memoria. Estoy haciendo ejercicios ...nemotécnicos, pero no fu...cionan. ¿Crees que los rabos de pasa serían más efectivos?

OTILIA: Debe de ser cosa de la edad, o de las muchas cosas que queremos hacer. Todo el día en la calle haciendo recados. Lo raro es que no nos dé una e...bolia o cualquier otro arrechucho.

TERESA: ¡Ay, Dios mío! Me te...go que marchar. Me he dejado la cartera en el mercado. ¡Hasta pro...to, te veré otro día! Voy a ver si pillo el tra...vía de las o...ce.

3.17. r, rr

Se escriben con *r*

Todas las palabras que tienen el sonido vibrante simple [r] en posición intervocálica o después de *b, c, d, f, g, k, p* y *t: cara, pareja, brazo, cromo, drama, fresa, grande, krausismo, prado, tramo.*

Las voces que tienen el sonido vibrante múltiple [r̄] en posición inicial de palabra: *ratón, rico, reyes, ruido.*

Las palabras que tienen este sonido (especialmente *n, s,* o *l*) detrás de cualquier consonante que pertenezca a una sílaba distinta: *Enrique, subrogar, ronronear, alrededor, enraizar, desrizar, sonreír.*

Las voces que tienen el sonido vibrante en final de sílaba o de palabra: *perla, olivar, tener, ir, amor.*

Se escriben con **rr**

Las palabras que tienen el sonido vibrante múltiple [r̄] en posición intervocálica: *chatarra, carrete, arroz, torre.*

Las palabras compuestas cuyo segundo componente empieza por *r,* por lo que el sonido vibrante múltiple queda en posición intervocálica: *virrey, vicerrector, prorrata, contrarréplica, manirroto, corroborar.*

EJERCICIO 77

Escribe *r* o *rr* y relaciona cada frase con su significado.

CADA OVEJA CON SU PAREJA

a) tener la neg...a

b) estar bien / mal templada una guita...a

c) pasar como sobre b....asas

d) dar a alguien ba...o a mano

e) en un t...is

f) tener un ca...o de algo

g) batir el cob...e

h) ser un sec...eto a voces

i) de...etirse por alguien

j) para más in...i

1. intentar una cosa con mucho empeño

2. tratar un asunto con poca profundidad

3. tener mala suerte

4. estar enamorado

5. en peligro inminente, a punto de

6. estar de buen / mal humor

7. dar dinero u otra riqueza para realizar algo

8. una gran cantidad de algo

9. algo conocido por todos

10. para más o mayor humillación

Ejercicio 78

Completa el texto.

Hoy es sábado y he p...ometido hacer una paella para el vi-ce...ector de la Universidad de Verano. Me he levantado a las 8.00 horas porque no tengo ni el a...oz. Por eso he decidido ir al extra...adio de mi ciudad, a un hipe...me...cado. He buscado con muchos apuros una ...opa sin a...ugas porque la plancha se me ha ...oto y, como no quería ir sola, he llamado a mi hermana En...iqueta, pero no quería i...

A las 10.00 horas he a...astrado, literalmente, a mi sob...ino Ad...ián para que me ayudara a ca...gar con el ca...o de la comp...a, porque mi querida hermana se ha negado a sumarse a esta aventura. Iba con idea de a...asar y de hacer la comp...a del año.

A las 10.45 horas, he tomado la ca...etera del no...te; pero antes me he acercado a una tienda que vende flores, y he comprado dos ...amos de ...osas.

A las 11.40 horas, he ido a la pastelería y he encargado una magnífica ta...ta de yema de huevo. Allí me he encontrado con mi amiga Ma...isol y he estado hablando con ella del último a...echucho que le dio a su madre.

A las 13.30 horas, al comp...obar la hora que era, se me ha ocu...ido tomar un atajo, y he podido comp...obar que otros muchos conductores habían tenido la misma idea que yo, porque las ...etenciones eran impresionantes.

¿Qué puedo hacer? ¡Ya sé!, llamaré a "A...oceros veloces" y enca...garé una paella de ma...isco. ¿Por qué no lo hab...é hecho antes?

3.18. X, x

Se escriben con *x*

Las palabras que empiezan por los elementos compositivos *xeno*, 'extranjero', *xero*, 'seco, árido' y *xilo* 'madera': *xenofobia, xerografía, xerocopia, xilófago, xilográfico*.

Las voces que empiezan por la sílaba *ex-* seguida del grupo *-pr-* o *-pl-*, y de *h* o *i*: *expresar, explicar, exhalación, exhaustivo, exhumar, éxito, exigir*.

Excepciones: *esplendor* y sus derivados, *espliego*, y otras voces de uso muy restringido.

Las palabras que empiezan por los prefijos *ex-*, 'fuera, más allá' o 'privación', y *extra*, 'fuera de': *excarcelar, extravertido, extraordinario, extramuros, extracorpóreo*.

EJERCICIO 79

Completa el siguiente texto.

"E...pero que no sea tarde", dije mientras buscaba apresuradamente mi nave. Debía haberle hecho caso al comandante, y no correr como si fuera un galgo. No había otra e...plicación: el e...ceso de velocidad me había impedido fijar las coordenadas con e...actitud y me había pasado de mi destino dos si...temas planetarios.

Para colmo, en este país los seres vivos respiran un o...ígeno e...traordinario; pero para mí éste es una to...ina, por lo que debía apresurarme y no e...tralimitarme con el tiempo que me quedaba de vida. Los habitantes de este planeta no podían ayudarme porque tienen una forma de e...presión muy primitiva y mi petición de socorro se podría entender fuera de conte...to como algo di...tinto.

Pero lo peor es que ahora están de moda en esta cultura los e...traterrestres y, como soy un marciano, me convertí en una verdadera atracción de feria.

Por fin, encontré la nave entre las matas que olían a e...pliego. La atmósfera también la había afectado y estaba cubierta de ó...ido. Por fortuna, pude arrancar los motores, y e...trapolando las coordenadas de ruta, puse rumbo a mi hogar.

Cuando aterricé me sorprendió una pintada en el fuselaje de mi nave: "¡Marcianos y e...traños fuera!".

¡Maldita ...enofobia!

En español hay un arcaísmo gráfico en palabras como *México, mexicano, Oaxaca, oaxaqueño, Texas, texanos,* y en algunos apellidos como *Ximénez*.
En estos casos la *x* se pronuncia como una *j*.

No se deben confundir las siguientes palabras:

contesto / contexto: Enseguida contesto a tu pregunta.
En este contexto esa palabra tiene un significado distinto.

espiar / expiar: No hice bien al espiar a los vecinos por la ventana.
El pecador busca expiar sus faltas.

estático / extático: No te muevas, permanece estático para poder copiar tu rostro en mi lienzo.
Santa Teresa aparece extática en esa escultura.

seso / sexo: No pareces tener seso con las decisiones tan precipitadas y poco lógicas que tomas.
El sexo del bebé ahora se puede saber a los pocos meses de embarazo.

EJERCICIO 80

Elige la opción correcta.

a) El clímax / climas de la novela está en la página 115.

b) La conexión / conesión vía satélite se realizará en pocos minutos.

c) La cohesión / cohexión del partido está en sus ideas fundacionales.

d) Tengo una lesión en el exófago / esófago producida por un accidente.

e) El cuadro de Murillo es expléndido / espléndido.

f) No debe haber discriminación por razón de sexo / seso, raza o religión.

g) La antigua estirpe / extirpe de los García se remonta a la Edad Media.

h) Antonio viste de forma ridícula y extrafalaria / estrafalaria.

i) La tesis / texis de esa investigación es la existencia de vida en Marte.

j) La película se exhibe / eshibe en el cine Capitol.

k) El interventor ayuda a excrutar / escrutar los votos de la urna.

3.19. d, t

Se escribe *d*

En la segunda persona del plural del imperativo: *alegrad, imitad, temed, sentid, dormid.*

La *d* se pierde en estos imperativos al añadir el pronombre átono *os: levantad-levantaos.*

En el prefijo de origen latino *ad-*, que indica dirección, tendencia, cercanía o contacto: *adjuntar, admirar, adquisición, adjetivo.*

Se escribe *t*

Antes de *l, m* y *n: Atlántico, atleta, aritmética, rítmico, atmósfera, etnología.*

La *t* en posición final de palabra sólo se usa en determinadas voces en las que se alternan las dos formas: *chalet / chalé; vermut / vermú.*

Excepciones: *complot, hábitat, soviet.*

EJERCICIO 81

Completa las palabras con *t* o *d* y relaciona cada una con su significado.

CADA OVEJA CON SU PAREJA

a) e...nología	1. afecto desinteresado
b) carida...	2. precisión en la ejecución de una cosa
c) exactitu...	3. mirar con asombro
d) a...mirar	4. sentimiento que lleva a ayudar a los necesitados
e) amista...	5. estudio de las razas y los pueblos
f) ama...	6. imperativo de *amar*

3.20. Grupos consonánticos y vocálicos

Muchos grupos consonánticos o vocálicos cultos se mantienen o se han visto simplificados. Los más importantes son los siguientes:

PS- / S-: *pseudo / seudo, psicoanálisis / sicoanálisis, psicología / sicología, psiquiatra / siquiatra*, etc. Se prefiere mantener *ps-*, excepto en el caso de la palabra *seudónimo*.

PT- / T-: *séptimo / sétimo, septiembre / setiembre, adscrito / adscripto*.

GN- / N-: *gnomo / nomo*.

MN- / N-: *mnemotecnia / nemotecnia*.

-NN-, -N-: *inocuo / innocuo*.

-BS-, -S-: *oscurecer / obscurecer, suscribir / subscribir*.

POST-, POS-: *posdata / postdata*.

-DS- / -S-: *astrigente / adstringente*. En los términos *adscribir* y sus derivados y *adstrato* no es posible la simplificación del grupo consonántico.

-NS-, -S-: *trascender / transcender, transformación / trasformación, transgredir / trasgredir*.

-EE-, -E-: *reembolso / rembolso, sobrexceder / sobreexceder*.

En los ejemplos citados, la RAE prefiere la primera forma en cada caso, si bien las dos son correctas.

EJERCICIO 82

Escribe el grupo consonántico o vocálico que corresponda.

a) El ...eudónimo de ese escritor en muchos artículos de prensa fue Antonio.

b) En la conferencia se presentó un estudio ...eudocientífico sobre las terapias alternativas.

c) En el tra...atlántico viajaba un millar de personas.

d) En el tra...vase de documentación se perdió un dietario.

e) Al prev...r esos gastos guardé cien euros en una caja fuerte.

f) Esperábamos con emoción el r...ncuentro familiar.

g) En la r...dición de la novela la editorial cambió la cubierta.

h) La tra...parencia muestra la célula madre vista al microscopio.

i) En la po...guerra se leía mucho a los grandes filósofos europeos.

4 ACENTUACIÓN

REGLAS DE ACENTUACIÓN

Llevan acento gráfico (tilde):

- Las palabras agudas (la fuerza de voz recae en la última sílaba) que terminan en vocal y en las consonantes *-n* o *-s: café, acción, Tomás.*
- Las palabras graves (la fuerza de voz recae en la penúltima sílaba) que terminan en consonante excepto *-n* o *-s: árbol, mártir, tórax,* o cuando terminan en *s* precedida de otra consonante: *bíceps, fórceps.*
- Todas las palabras esdrújulas (la fuerza de voz recae en la antepenúltima sílaba): *álamo, bóveda, género.*
- Todas las palabras sobresdrújulas (la fuerza de voz recae en la sílaba anterior a la antepenúltima sílaba): *búscaselo, mándamelo.*

Los monosílabos (palabras con una sola sílaba) no llevan tilde: *sol, mes, la, dar, hoy.*

Sin embargo, cuando es preciso diferenciar dos monosílabos con la misma forma y distinta categoría gramatical y evitar la ambigüedad, se pone la llamada **tilde diacrítica.**

Si vas a Bilbao, no te olvides de pedir bacalao a la bilbaína.
*El empresario dijo que *sí* después de una larga conversación.*
¿Qué haces en el colegio?
*Mi perro, **que** se llama Negro, estuvo varios días en la perrera.*

En español hay cierto número de palabras monosílabas o polisílabas (más de una sílaba) que presentan tilde diacrítica:

Qué / que
¿Qué (interrogativo) *sabes de tu hermano?*
¡Qué (exclamativo) *paisaje veo desde mi terraza!*
Le dijo que (conjunción) *viniera el sábado por la tarde.*

Quién / quien

¿*Quién* (interrogativo) *vio esa película?*

¡*Quién* (exclamativo) *se encontrara con ese actor!*

Quien (relativo) *quiera ir al cine, que levante la mano.*

Dónde / donde

¿*Dónde* (interrogativo) *estás?*

¡*Pero dónde* (exclamativo) *te crees que vives!*

Dime dónde (interrogativo) *vives.*

Lo compré donde (adverbio relativo) *era más barato.*

Tú / tu

Tú (pronombre) *te comes tu* (adjetivo) *comida.*

Mí / mi

Mi (adjetivo) *comida es para mí* (pronombre).

La nota musical mi (sustantivo) *no lleva tilde diacrítica.*

Él / el

Él (pronombre) *come el* (artículo) *menú del día.*

Cómo / como

¿*Cómo* (interrogativo) *te llamas?*

¡*Cómo* (exclamativo) *te puso tu tía!*

Dibuja como (adverbio relativo) *quieras.*

Como (conjunción) *consigas ese trabajo, doy una fiesta.*

Mi amigo Antonio asistirá al máster como (con valor de preposición) *alumno.*

Cuál / cual

¿*Cuál* (interrogativo) *de aquellos es tu hijo?*

¡*Cuál* (exclamativo) *no sería mi sorpresa al verlos por allí!*

Mira esa ventana de la cual (relativo) *pende una bandera roja.*

Se creía ya famosa cual (adverbio) *estrella de cine.*

Cuándo / cuando

¿*Cuándo* (interrogativo) *repasaremos los verbos irregulares?*

Explícame el cómo y el cuándo (sustantivo) *de ese concierto benéfico.*

Vuelve a casa cuando (conjunción) *sean las doce de la noche.*

Echo de menos los meses de verano cuando (adverbio relativo) *íbamos juntos a la piscina.*

Cuánto / cuanto

¿*Cuánto* (interrogativo) *vale?*

¡*Cuánto* (admirativo) *pesa!*

No sabes cuánto (interrogativo) *te echo de menos.*

Comimos cuanto (adverbio relativo) *quisimos en su casa.*

Cuanto (adverbio relativo) *más trabajo, menos veo a mis amigos.*

Éste, ése, aquél / este, ese, aquel

Este / ese / aquel (adjetivos) *libro es de Filología.*

Éste / ése / aquél (pronombres) *puede entrar.*

Estos pronombres también pueden escribirse sin tilde.

Sé / se

Sé (verbo *saber*) *mucho de los reyes medievales.*

Sé (verbo *ser*) *el protagonista de la obra de teatro.*

Nosotros se (pronombre personal) *lo venderemos como siempre.*

Se (pronombre reflexivo) *lava el pelo todos los días.*

Ó / o

Quiero 4 ó 5 manzanas (lleva tilde para no confundirse con un cero).

Quiero manzanas o peras.

Té / te

El té (sustantivo) *frío me quita la sed.*

Te (pronombre) *lo dije y no me equivoqué.*

Más / mas

Cuanto más (adverbio) *leo el libro que me compraste, más me gusta la historia.*

Mi padre fue pintor y yo también lo soy, mas (conjunción) *no sé si mi hijo elegirá esta profesión.*

Por qué / por que

¿*Por qué* (interrogativo) *no has hecho los deberes?*

Esta fue la razón por (la) que (relativo) *vendimos el coche viejo.*

Porqué / porque

Queremos saber el porqué (sustantivo) *de tu mal comportamiento en clase.*

Porque (conjunción) *luce el sol saldré de paseo.*

Sí / si
La joven volvió en sí (pronombre).
Lucía sí (adverbio) aceptó tu propuesta de trabajo inmediatamente.
Si (conjunción) vas a Alicante en verano, lleva unas buenas gafas de sol.
La nota musical *si* (sustantivo) no lleva tilde diacrítica.

Dé / de
Dé (verbo) usted a los pobres de (preposición) esta ciudad lo que es suyo.

Aún / aun
Aún ('todavía') no he comprado los billetes.
Aun ('también, incluso') los más jóvenes sabían cocinar.

Sólo / solo
Solo (adverbio) lo explicaré una vez más.
Estoy solo (adjetivo) con mis gatos.
El adverbio *solo* llevará tilde diacrítica para evitar la ambigüedad:
Solo lo explicaré una vez más (no hay ambigüedad, puede aparecer sin acento ortográfico).
Voy sólo (adverbio) a comprar.
Voy solo (adjetivo) a comprar.

EJERCICIO **83**

Elige la forma correcta en cada contexto.

a) Dé / de un paseo cada día después de la comida.

b) Toma una chocolatina y no pidas más / mas golosinas.

c) Él / el sabe que compramos esos regalos en la ciudad.

d) La carne dé / de vaca es necesaria para los niños en edad de / dé crecimiento.

e) El / él curso de gramática ha sido suspendido.

f) Me gustaría estar contigo en estos momentos, mas / más no sé cómo / como hacerlo.

g) Si devuelves este equipo me lo das a mi / mí personalmente.

h) Te / té lo digo por última vez: no vuelvas a tirar papeles al suelo.

i) Nosotros sé / se lo avisamos muchas veces.

j) Sé / se con certeza que mi anillo está en este cajón.

k) Tú / tu informe es demoledor, no permite ninguna objeción.

l) En solfeo estudiamos las notas musicales: do, re, mi / mí, fa, sol, la, si / sí...

m) Fuimos al teatro a ver *El si / sí de las niñas,* de Moratín.

n) Sé / se un hombre de bien.

ñ) ¿Cuanto / cuánto vale este collar?

o) Son las 5 de la tarde, me tomaré un te / té.

p) ¿Cuántos / cuantos folios necesitas al día?

q) ¿Qué / que piensas del libro que has comprado?

r) ¿Donde / dónde vive José?

s) ¿Por qué / por que has viajado a Sevilla?

t) Aún / aun no conozco a tu nuevo novio.

u) No sé el porque / porqué de tu comportamiento.

v) La casa parece que está vacía porqué / porque no están los niños.

w) El / él vive en Madrid todo el año.

EJERCICIO 84

Coloca los acentos gráficos donde sea necesario.

a) epoca	n) decoracion
b) en	ñ) ademas
c) España	o) nadie
d) mundo	p) aun
e) muñeca	q) dos
f) tio	r) trabajos
g) bisoñe	s) deje
h) salon	t) mama
i) sobre	u) torax
j) exhibia	v) tropico
k) bebiendo	w) devuelvelo
l) de	x) ojala
m) caño	y) tesis

DIPTONGOS

Un diptongo es la unión de dos vocales en una misma sílaba:

AI: *baile, gaita*

AU: *cauto, pauta*

EI: *reina, aceitera*

EU: *deuda, europeo*

IA: *caviar, lluvia*

IE: *tierra, cielo*

IO: *precio, estudio*

IU: *ciudad, viudo*

OI: *boina, heroico*

OU: *estadounidense*

UA: *zaguán, cuadro*

UE: *bueno, escuela*

UI: *jesuita, lingüista*

UO: *residuo, inicuo*

Los diptongos se acentúan según las reglas generales.

DIPTONGOS TÓNICOS

a) Vocal cerrada *(i, u)* + vocal abierta *(a, e, o)*, o viceversa: la tilde irá sobre la vocal abierta: *náusea, piérdete, recién, huésped, tentempié, escuálido, escorpión, ciática.*

b) Vocal cerrada + vocal cerrada: la tilde se debe colocar en la segunda vocal: *cuídate, lingüística, interviú, veintiún.*

TRIPTONGOS

Un triptongo es la unión de tres vocales en una misma sílaba:

IAI: *acariciáis*

IEI: *acariciéis*

IOI: *dioico*

IAU: *miau*

UAI: *averiguáis*

UEI: *santigüéis*

UAU: *guau*

Los triptongos se acentúan según las reglas generales. La tilde irá siempre sobre la vocal abierta: *limpiáis, copiéis, averigüéis.*

HIATOS

Un hiato es la secuencia de dos vocales que no forman diptongo porque pertenecen a sílabas distintas:

a) Dos vocales abiertas: la tilde se coloca, siempre que uno de los elementos del hiato sea tónico, según las reglas generales.

teatro (te-a-tro)
oasis (o-a-sis)
aéreo (a-é-re-o)
boato (bo-a-to)

b) Vocal cerrada + vocal abierta: si el elemento tónico es la vocal abierta, la tilde se pondrá según las reglas generales de acentuación.

biombo (bi-om-bo)
gladiolo (gla-di-o-lo)
liástelo (li-ás-te-lo)
viaje (vi-a-je)

Si el elemento tónico es la vocal cerrada, se coloca la tilde siempre:

río (rí-o)
impío (im-pí-o)
púa (pú-a)
actúa (ac-tú-a)

a) Vocal abierta + vocal cerrada: la vocal cerrada es tónica y lleva tilde.

maíz (ma-íz)
aúpate (a-ú-pa-te)
baúl (ba-úl)

La *h* no afecta al hiato.

EJERCICIO 85

Coloca la tilde cuando sea necesario.

a) ciatica

b) rodapie

c) actual

d) trauma

e) interviu

f) estoy

g) terapeutico

h) viuda

i) seis
j) columpieis
k) nautico
l) miercoles
m) huesped
n) bien
ñ) cuidate
o) pauta
p) escualido

q) muestramelo
r) peine
s) hueso
t) fuimos
u) cliente
v) vieseis
w) oficio
x) triunfo
y) adecuo

EJERCICIO 86

Coloca la tilde cuando sea necesario.

a) Raul
b) ahi
c) vaho
d) buho
e) piano
f) Diaz
g) reid
h) aduana
i) viaje
j) duo
k) rei
l) acentualo
m) actue

n) feucho
ñ) liar
o) heroina
p) arcaismo
q) rio
r) aunar
s) dia
t) muy
u) tenue
v) baile
w) fuimos
x) ciudad
y) oido

Las palabras compuestas que forman una única voz sólo llevan tilde en el segundo elemento si es tónico y teniendo en cuenta las reglas generales de acentuación:

décimo + séptimo → decimoséptimo
así + mismo → asimismo
céfalo + raquídeo → cefalorraquídeo
vídeo + juego → videojuego
rompe + olas → rompeolas

En los adverbios que terminan en *-mente,* la tilde se pone en el primer componente si éste lo llevaba antes de formar el compuesto:

gráfica + mente – gráficamente
rápido + mente – rápidamente
única + mente – únicamente
difícil + mente – difícilmente

En las palabras compuestas con guión cada elemento lleva su tilde correspondiente:

teórico-práctico
cántabro-leonés
político-social

Aquellas palabras que se forman con un verbo y un pronombre átono *(ponlo, estaos, contente, vámonos, cayose, estate, disponeos)* siguen las normas generales de acentuación; así, llevan tilde si la palabra resultante es esdrújula o sobresdrújula *(dijérase, llámalo, cayéndosenos).*

Las voces extranjeras y latinismos que se emplean en español se acentúan según las reglas generales: *hábitat, alma máter, récord, París, cómic, currículo, alias.*

EJERCICIO 87

Coloca la tilde cuando sea necesario.

a) viendolo	n) baloncesto
b) socioeconomico	ñ) mirame
c) juridico-social	o) estate
d) Angela	p) fielmente
e) accesit	q) Peru
f) solamente	r) erroneamente
g) dame	s) damelo
h) averiguolo	t) Tamesis
i) tiovivo	u) Mexico
j) quorum	v) Asis
k) Napoles	w) memorandum
l) franco-aleman	x) bide
m) veintidos	y) carne

EJERCICIO 88

Pon los acentos necesarios en este texto.

Si vas a comprar mas pescado al mercado, debes tener en cuenta varias indicaciones de mi libro *El arte de comprar*. Por ejemplo, si quieres pescado fresco, debes fijarte no solo en su piel, aunque es muy importante que esta sea brillante, sino tambien en su carne, que debe ser firme, elastica y uniforme. Aun te queda ver como estan sus ojos, que han de tener las pupilas negras y brillantes.

Por ultimo, y quizas lo mas importante para mi: si puedes verles las branquias, observa que estas sean de color rojo intenso.

Sin embargo, el marisco debe tener otro aspecto. Si es crudo, su cuerpo debera ser firme y brillante. La cabeza estara bien pegada al cuerpo y sera del mismo color. Ahora bien, si el marisco esta cocido, yo se que debo asegurarme de que este recien cocido y de que su aspecto sea homogeneamente terso, con su color natural.

EJERCICIO 89

Coloca las tildes que faltan en este texto.

Afortunadamente, en los colegios españoles ya no se enseña la lista de los reyes godos. Se trataba de una larga lista, con nombres muy dificiles para la fonetica de un niño o de un adolescente; pero, ademas, estos reyes y sus hechos no son un buen modelo para nuestros hijos.

El primer rey godo fue Ataulfo (410-415), que conquisto Tolosa y Barcelona; pero tambien se le recuerda porque hizo prisionera a la hermana del emperador romano de occidente Honorio, y por esta razon lo mataron. A este le sucedio Sigerico (415), que estuvo solo siete dias hasta que tambien fue victima de un asesinato. Su permanencia de una semana no se supera a lo largo de la historia, pero si se aproxima a los treinta dias que duro Recaredo II.

Despues tomo el poder Walia (415-419). Este nuevo rey devuelve a la prisionera; pero a pesar de parecer mas sensato, su reinado no perdura en el tiempo, ya que no llega a los cuatro años.

Todavía hay peores ejemplos, como Turismundo (451-453), Teudiselo (548-549), Leovigildo (573-586), Liuva II (601-603), Gundemaro (610-612). Hasta Don Rodrigo (710-711), que dura solo un año, muchos son los reyes que intentan gobernar la llamada piel de toro (la peninsula Iberica).

La suma total de soberanos godos asciende a 34 reyes en trescientos años. Si hacemos calculos, a cada monarca le corresponden nueve años de reinado. Pero como siempre que se establece una regla surgen las excepciones: Suintila (621-631), Chindasvinto (642-653) y Wamba (672-680).

La mejor epoca de los visigodos es la de los reinados de Leovigildo (573-586) y de su segundo hijo, Recaredo I (586-601), porque a su primer vastago lo matan los nobles. El primero consigue la unificacion territorial, y fija la capital en Toledo. El segundo se hace bautizar y, en el año 589, convierte al catolicismo a toda la Peninsula.

EJERCICIO 90

Coloca las tildes.

Mi nuevo jardinero era un señor jubilado de setenta años que amaba todas las labores de jardineria, y que trataba cada planta como si fuera una joya que le servia de inspiracion. Pero, sobre todo, era un amante de la cultura judaica.

Su nombre era Juanito Perez, y habia sido ayudante de un juez muy famoso en la judicatura de este pais. Desde siempre habia escrito poesia y se habia presentado a multitud de juegos florales. Otra de sus pasiones era conocer cosas sobre los sefardies que abandonaron España a finales del siglo XV. Y, por eso, con frecuencia visitaba las juderias. Siempre me traia algun recuerdo de estos viajes a Toledo. El decia que estas aficiones lo mantenian joven.

Un dia, yo estaba leyendo el dominical del periodico y me entere de que en algunas zonas de Marruecos y de la Europa oriental, unos investigadores habian descubierto un pequeño grupo de mujeres que sabian muchos romances y cantares parecidos a las jarchas recitados en español antiguo; sin duda, eran descendientes de aquellos judeoespañoles.

Enterado Juanito, aprovecho sus vacaciones de julio y se fue a Marruecos. Estaba tan contento y fascinado por su experiencia, que se convirtio en un experto viajero, ya que desde ese momento comenzo a visitar todos los paises de Europa con huella judia. Creo que habia nacido un nuevo compilador de romances sefardies.

EJERCICIO 91

Coloca las tildes.

Era el mejor momento para comprar el piso de mis sueños. Por eso, decidi ir al Banco Hipotecario a pedir un prestamo. Cuando entre en la entidad bancaria la cola era tremenda. Me sente en un huequecito junto al mostrador del fondo, y ya no estaba tan animado. Pero llevaba muchos años en casas ajenas: primero, en el hostal, comiendo bocadillos y platos recalentados porque siempre llegaba tarde por mi trabajo. Por culpa de esta mala alimentacion habia desarrollado una gastritis que me perforo el estomago.

Luego me fui a un piso, pero era muy viejo, y el casero parece que tenia un bolsillo hipertrofiado, porque solo aumentaba de tamaño. Jamas hacia una reforma, asi que su cartera no "adelgazaba".

Hace varios meses comence a buscar piso. Estuve en varios y algunos parecian una habitacion de un hospital de la Seguridad Social por lo pequeños que eran. Hace una semana encontre un pisito de 30 metros cuadrados con dos habitaciones y un baño. "No es una mansion, pero se puede habitar, y con lo hogareño que soy pronto lo convertire en mi hogar", pense.

Sin darme cuenta, llego mi turno en la cola. El empleado del banco me pidio la nomina del ultimo mes con cierta hostilidad y empezo a asombrarse cuando le comente que no tenia, que trabajaba en distintos sitios. Con cierta resignacion, el bancario me pregunto por mis ingresos mensuales. Yo le explique humildemente que estos eran de unos 500 euros. Me pidio entonces el numero de una cuenta corriente, me pregunto por un posible aval, por otras propiedades... Le respondi que no tenia nada de eso, pero que era muy honrado, que mi moral era la de un gentilhombre, y que no debia dinero a nadie.

En ese mismo momento, el empleado dejo de tomar mis datos y me aconsejo que me fuera a vivir con un familiar mas pudiente, porque yo no tenia ninguna posibilidad de éxito.

Sali del banco y me apene momentaneamente porque era huerfano y no tenia familiar que me avalara. Pense que para que servian los bancos si te piden antes el dinero que te van a prestar. No tendria otro remedio que ser practico, buscarme otro trabajo mas, conseguir un sobresueldo y seguir intentandolo.

EJERCICIO 92

Acentúa este texto.

Hijo de pescadores y nieto de pecadores, a Victor no le quedo mas remedio que aceptar el sino familiar y embarcarse al terminar los estudios en el barco *Juan y Ana,* aunque no fuese ese su futuro ideal. A nuestro protagonista le encantaba la carne; aun mas, odiaba el pescado desde su mas tierna infancia. No soportaba ni las sardinas. El marisco le producia un fuerte malestar y solo verlo le hacia tener pesadillas por las noches, aunque habia intentado superar este trauma en multiples ocasiones.

Pero a fuerza de ir a ver a sus hermanos, a sus tios y sus primos, todos ellos marineros, Victor conocia todos los oficios de la mar: como enfilar la carnada, como desmallar los peces de la red, etc.

Su ilusion era llegar a ser pastor de cabras, de esos de cayado y zurron, andar entre la yerba o dedicarse a labores agricolas. La enemistad entre el mar y el era evidente; pero quien se lo iba a decir a su padre, un hombre rudo, que se llevaria un gran disgusto, aunque algun vecino, compadecido del chiquillo, ya le habia comentado que Victor no era precisamente un aguerrido hombre de mar.

El tiempo pasaba y en el barco aguantaba las puyas de sus compañeros: "¡Ahi te va ese lenguado!", le decian arrojandole el pescado a los brazos, y Victor practicamente se desmayaba. Mas con sus estancias en tierra firme se desquitaba: con su primer sueldo en la mano, salio como un rayo hacia un asador de carne, en el que pidio dos chuletones que devoro rapidamente.

Tras el ultimo viaje paso una semana en tierra, durante la cual siguio una estricta dieta de cerdo, pollo y solomillo con alguna que otra ensalada. Pero se acercaba de nuevo el momento de embarcar y Victor buscaba una excusa para poder librarse de tan pesada carga familiar.

Varias ideas le pasaron por la cabeza, pero no sabia si estas lo iban a ayudar. "Estoy en un aprieto", pensaba. "Dire que estoy enfermo, que tengo una afeccion virica, que me he metido en una secta..., lo que tengo claro es que no voy a volver a esa embarcacion. Pero ¿como lo arreglo?, ¿qué puedo hacer...? Es el peso de la tradicion familiar..."

—¡Vaya, se me esta ocurriendo algo que podria ser definitivo!

A los tres dias llego la hora del embarque. Alli se presento Victor irreconocible, envuelto en una tunica de color claro, descalzo y con la cabeza completamente rapada.

—¡La paz sea con vosotros, compañeros! Solo vengo a deciros que me voy en busca de la verdad. Me retiro del mundanal ruido. Me dedicare a la vida ascetica. Ya tendreis noticias mias desde el Tibet.

—¡Angela Maria! Pero, Victor, chiquillo, ¿que te ha pasado?

El resto de la tripulacion quedo boquiabierto por el cambio de Victor. "La mar debe de haberlo trastornado", pensaron. Y decidieron dejarlo en tierra.

EJERCICIO 93

Acentúa este texto.

Cuentan las cronicas que al rey le gustaba disfrazarse. En carnavales, se cubria el rostro con una mascara que cambiaba siempre que podia porque le gustaba conocer la verdadera personalidad de sus subditos. De este modo, vestido de mendigo, descubrio una vez a un espia del pais vecino, consiguio en otra ocasion acallar un levantamiento popular y vio tambien como la cocinera se comia muchos de los manjares que los cazadores reales traian para el y para su familia.

Pero lo mejor estaba por llegar. Un martes de Carnaval todos en la corte preparaban magnificos disfraces, incluido el rey.

Nadie, absolutamente nadie, sabia con que aspecto se presentaria el monarca. Esa ignorancia jugo a su favor: eran las 5 de la tarde y la reina estaba en el palco de la plaza viendo los toros. Estaba hermosisima, se habia vestido de hada madrina y eso agrado al rey, que, sin hacer ruido, se acerco a su esposa y se sento en el asiento que un joven conde, a una señal de su criado, habia dejado libre.

Cuando estuvo acomodado, el rey, disfrazado de noble, se dedico a observar de cerca los gestos de su mujer. Al rato de permanecer detras de ella, se acerco y le dio un beso en el cuello mientras le decia:

—No te preocupes, ladrona de mi corazon, que soy yo.

Y ella le contesto sin remilgos:

—¡Como os echaba de menos, querido conde...!

La sangre del rey se helo. Cuentan que el conde fue desterrado a un lugar lejanisimo, y que la reina, sospechando su metedura de pata, jamas oso preguntar por el ni por su paradero.

SOLUCIONES

EJERCICIO 1

a) universidad

b) composición

c) mediodía

d) bayeta

e) cámara

f) estudio

g) estribo

h) gallina

i) servir

j) curtir

k) malograr

l) ladrar / labrar

m) empobrecer

n) reservar

ñ) arroz

o) ardor

p) jugar / jurar

q) elevar

r) desaparecer

s) tesoro

t) dimitir

u) ortografía

v) naturaleza

w) general

x) estar

y) portorriqueño

EJERCICIO 2

a) llegan, barracas, feria

b) arrasaron, llegar, territorio

c) travieso, barrabasadas

d) Bachillerato, llegar

e) pobre, currante

f) carretera, gran, bache

g) trabajo, lleno, erratas

h) testarudo, erre, erre

i) borracho, calle

j) puertas, fabricaron, hierro

k) Marcos, irritable

l) carro, derrapó, carretera, comarcal

m) derrumbe, caro

n) entierro

ñ) derrengado

o) Arrincona

p) brocha, ser, grande

q) llegar, descubrimos, catedrales

r) Guerra, duró

s) flechazo, enamorado, dura

t) Algunos, chocolatería, comer, muchos, churros

u) muchacho, chocolate

v) cochino, chorizos

w) guardia, quinientos

x) guirigay, guardia

y) güisqui

z) gustan, guisos

EJERCICIO 3

a) arrimar, 2

b) clavo, 7

c) Fermando, 6

d) lavo, 8

e) llevar, 4

f) tener, 5

g) caber, 3

h) estar, 1

EJERCICIO 4

Siempre fui aficionado a escuchar conversaciones ajenas. En el autobús, en la panadería, o mientras compro una cajetilla de tabaco en el estanco de Jiménez. Esta afición me viene porque soy Géminis.

Cuando era estudiante de Biología siempre me presentaba a delegado de mi clase para meterme en todos los líos, y de paso enterarme de todos los problemas de mis compañeros.

A veces oigo historias tristes sobre hijastros no queridos o mujeres maltratadas, otras son divertidas y otras muy aburridas.

Pero el jueves pasado pude escuchar lo que un señor de pelo rojizo le decía a su interlocutor. Preparaba un jugoso plan para matar a su odiado jefazo. Lo haría de esta forma: al terminar la jornada, lo esperaría en una de las bajadas del metro, en la parada **Las Jarchas,** y en una esquina de un pasillo oscuro le clavaría un cuchillo.

La idea de impedir el asesinato quedó impresa en mi mente con fijeza. **El** plan del empleado era sencillo, pero no sabía cómo darle jaque al asesino y evitar el crimen sin poner en peligro mi propia vida.

Por fortuna, el destino, con mi inestimable ayuda, tenía preparada una jugarreta al presunto homicida. **Seguí** al pelirrojo hasta la boca del metro donde pensaba llevar a cabo su plan, pero allí un músico armaba mucha jarana.

Entonces, cambió de lugar mientras acechaba a su víctima, pero allí había un indigente, y lo mismo sucedió en cada una de las esquinas. Pero, por fin, el asesino dio con un pasillo solitario en el que apostarse.

En ese momento entré en escena y me senté en el suelo, extendí mi chaqueta jaspeada y alargué mi mano como cualquier pedigüeño. **¡Y** coló! Por suerte el casero me había dejado sin agua por falta de pago, y llevaba una semana sin ducharme y sin afeitarme. **Desesperado,** el hombre de pelo rojo salió del metro y se perdió entre la muchedumbre.

Después del susto, me levanté y con rapidez fui a la **Jefatura** de **Policía.**

EJERCICIO 5

a) perci**b**ir
b) vivir
c) escri**b**ir
d) her**v**ido
e) prescri**b**e
f) su**b**ir
g) Descri**b**e
h) vi**v**a
i) reci**b**iré
j) revi**v**en
k) sobrevi**v**iré

EJERCICIO 6

a) atri**b**uyen
b) retri**b**uido
c) im**b**uido
d) contri**b**ución
e) vi**v**es
f) atri**b**uido
g) mal**v**ivir
h) hier**v**as

EJERCICIO 7

Posibles respuestas

a) Estoy bebiendo leche.

b) Bebo vino, pero con moderación.

c) Ese mueble no cabe en esta habitación.

d) Después de una semana no cabe una reclamación.

e) Debemos ayudar a los necesitados.

f) El haber de mis padres supera los 3.000 euros.

g) De pequeño sabía hacer el pino.

EJERCICIO 8

Posibles respuestas

a) viene

b) Bebe

c) Ven

d) Has vivido

e) bebas

f) viene

g) viven

h) vendrá

i) vivo

j) beber

k) venía

l) Venga

m) vino

EJERCICIO 9

atribuir

barrer

bizcocho

caber

cohibir

concebir

malva

mover

servir

vivir

A	I	O	N	M	M	A	L	V	A	B	O
B	U	P	U	L	O	L	L	A	B	U	O
B	A	T	I	O	V	K	B	V	A	A	I
V	C	O	N	C	E	B	I	R	B	T	F
B	A	I	L	B	R	Z	Z	V	C	R	H
B	B	V	V	B	V	X	C	V	D	I	F
S	E	R	V	I	R	U	O	O	E	B	E
X	R	B	I	V	B	V	C	P	F	U	D
Y	U	B	V	N	C	O	H	I	B	I	R
R	T	V	I	B	M	M	O	P	G	R	C
B	A	R	R	E	R	N	N	B	H	A	B

EJERCICIO 10

En verano abandonamos Sevilla y nos fuimos a La Rioja para conocer algunas ciudades del norte de España que no habíamos visitado. Aprovechamos este viaje para ver a amigos que por la distancia no vemos a menudo. Una de esas visitas fue la que hicimos a nuestros profesores Verónica y Borja.

Cuando hicimos la visita y estábamos en casa de nuestra antigua profesora de Biología, nos enteramos de que, por una sustitución, actualmente, Verónica enseñaba Física en un instituto de Secundaria en Navarra. Íbamos a merendar chocolate con churros y otros bollos y, de pronto, llega su marido, nuestro primer profesor de Bioquímica en la carrera.

Borja llevaba un papel en la mano, y estaba muy agitado aunque mostrara una amplia sonrisa. Ninguno de nosotros sabía lo que iba a suceder; más tarde descubriríamos que nuestros profesores iban a ser padres en el mes de febrero.

Todos nos alegramos por los futuros padres, que sólo estaban preocupados por la fecha de nacimiento de su hijo. Esperaban que no fuera el día veintinueve de febrero.

EJERCICIO 11

Mi bisabuelo Javier Benítez es el padre de mi abuelo, y, como murió a los 95 años, tuve la oportunidad de conocerlo. Siempre nos llamaban la atención su gran bigote, su acento bilbaíno y sus gordas gafas bifocales.

A principios del siglo XX, Javier era maestro y, cuando éramos pequeños, nos explicaba cómo había conocido a mi bisabuela Elvira Vera cuando compraba un billete de barco para viajar a Brasil como profesor de español de los hijos de unos ricos benefactores, aunque su deseo era enriquecerse plantando tabaco.

Elvira era bibliotecaria y recolectaba dinero para comprar libros nuevos para la biblioteca parroquial. Vestía un traje color berenjena que hacía juego con su sombrero morado y con sus ojos azules.

Tanto se enamoró de Elvira que abandonó su idea de viajar. Bisbiseando su nombre envolvió una flor con su billete y se lo ofreció a mi bisabuela con un leve beso.

Gracias a esta rápida decisión contrajo matrimonio con mi bisabuela, y nuestras vidas son como son.

EJERCICIO 12

a) 1		d) 1	
b) 1		e) 1	
c) 2		f) 1	
d) 1		g) 2	

EJERCICIO 13

La misión se encontraba junto a un monasterio de monjas benedictinas. La dirigían la madre abadesa y un par de curas aborígenes muy jóvenes, de los que la religiosa podía ser abuela. Hasta allí llegó un cooperante que después de abandonar la urbe venía con la cabeza llena de ideas.

Lo primero que se le ocurrió fue organizar una verbena en plena selva. Al principio los habitantes del poblado lo agradecieron. Lo difícil fue encontrar a los músicos.

Por fin, se formó una pequeña orquesta: un par de monjas tocaban la guitarra, los tambores los dominaba uno del pueblo, y el propio organizador que, por no abusar, según dijo, se conformó con hacer los coros. Las dulces cancioncillas de las monjas se mezclaban mal con el ritmo étnico del tambor, y mucho peor con la desafinada voz del voluntarioso cooperante.

Durante la primera canción la gente aguantó aquel desconcierto con paciencia e incluso algunos se esforzaron en bailar, sin ningún éxito. Pero en la segunda tonada se hizo el silencio, a la tercera se inició el abucheo y, al intentar comenzar la cuarta, empezaron a volar bostas de vaca, según la curiosa costumbre local.

Y, de este modo, el voluntario aprendió el pragmatismo que había permitido a la Iglesia pervivir miles de años entre los hombres: "¡No paren de cantar, que mañana tenemos que abonar los garbanzos!", gritaba la madre abadesa desde un lateral del escenario.

EJERCICIO 14

aberrante	violar
avión	birria
arriba	biruje
betún	ébano
biógrafo	libio
biombo	malvado
viola	novel
biótico	obra

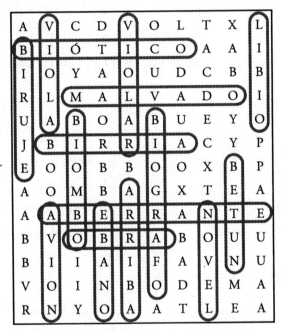

EJERCICIO 15

a) substantivo / sustantivo (se prefiere la segunda forma)

b) abdicó

c) agravio

d) Molotov

e) ablande

f) biopsia

g) guardavía

h) esnob

EJERCICIO 16

1	A	B	D	U	C	C	I	Ó	N
2	S	U	B	C	L	A	S	E
3	A	B	D	I	C	A	R
4	O	B	L	A	C	I	Ó	N
5	A	B	S	U	R	D	O
6	A	B	D	O	M	E	N
7	A	B	S	O	R	T	O
8	S	U	B	R	A	Y	A	R
9	S	U	B	S	I	D	I	O
10	S	U	B	L	I	M	E

EJERCICIO 17

a) bienmesabe, 3

b) venezolano, 4

c) bienestar, 1

d) viento, 2

e) veneno, 5

f) venerable, 8

g) viejo, 6

h) bienvenido, 7

i) benevolencia, 10

j) bienhablado, 9

EJERCICIO 18

a) amabilidad

b) probabilidad

c) movilidad

d) culpabilidad

e) credibilidad

f) incompatibilidades

g) impermeabilidad

h) inhabilidad

EJERCICIO 19

a) biografía

b) obscuridad / oscuridad (se prefiere la segunda forma)

c) escribir

d) contribuyes

e) beba

f) Íbamos

g) sabio, savia

h) club

i) ovni

j) bielorruso

k) bienio

l) adaptabilidad

EJERCICIO 20

a) **b**ucanero, 7

b) **b**ufete, 1

c) **b**ullir, 10

d) **b**utano, 2

e) **v**ulcanólogo, 3

f) **b**urgués, 5

g) **v**uelo, 6

h) **b**uñuelo, 9

i) **v**udú, 8

j) **b**usto, 4

EJERCICIO 21

a) abundante

b) moribundo

c) vandalismo

d) furibundo

e) vendedora

f) nauseabundo

EJERCICIO 22

a) gu**b**ernamental

b) ca**b**les, ha**b**itación

c) ca**b**ra, **v**ive, am**b**ientes

d) **v**oz, co**b**arde

e) go**b**ernanta, nuevo

f) El**v**ira, co**b**rado, **b**eca, investigación

g) ce**b**ras, **b**urros

h) ce**b**olla

EJERCICIO 23

a) haber

b) Javier

c) habas

d) lavo, jabón

e) habilidoso

f) jubilar

g) labios

h) hebilla

i) lobos

j) juvenil

k) hibernación

EJERCICIO 24

Cuando llegué al Nuevo Mundo pensaba que nada podía ser peor que la pobreza de donde procedía. Además, en las nuevas tierras crecía el oro y la plata en los árboles, y con hacer un pequeño hoyo aparecían sin trabajo diamantes y rubíes. Yo, Roberto Díaz, súbdito de sus Majestades los Reyes de España, sobrino del sabio maestro Antonio, el mejor carpintero de Medina del Campo, no debía tener problemas para enriquecerme en estas nuevas tierras de promisión.

Al bajar del barco, sólo tenía los ducados suficientes para comprar un poco de tabaco, una tableta de carne seca de tiburón y algo de vino. Para los casos de emergencia guardaba en mi tobillo unas cuantas monedas, y con ellas pagué el hospedaje de mi primera noche fuera de mi tierra. El calor hizo innecesaria la única sábana que cubría un camastro con más chinches que paja.

Al día siguiente, me levanté y empecé a buscar fortuna. Me topé en el centro de la plaza con una subasta de esclavos. De la multitud salió un grito de mujer: "¡Al ladrón, al ladrón!". Se había producido un robo. Un mozalbete salió corriendo con un tubo lleno de monedas que guardaba la mujer en su seno. El resto de los asistentes a la subasta ni se inmutó, como si todo esto les importara un rábano.

Yo, por mi parte, cogí una piedra del suelo y la lancé a las piernas del ladrón, que trastabilló y cayó rodando. La mujer, agradecida, me dio algunas de sus monedas. Estaba claro que en este nuevo país se valoraba una habilidad como la mía: era el mejor jugador de bolos de mi pueblo.

EJERCICIO 25

a) evangelio, 4
b) evacuar, 2
c) evaluar, 5
d) evocar, 7
e) eventualmente, 3

f) evidente, 6
g) evaporar, 8
h) ébano, 10
i) ebanistería, 9
j) evadir, 1

EJERCICIO 26

a) vicecónsul
b) bisnieto
c) vidente
d) bianualmente
e) vizcaínos

f) viceversa
g) vizconde
h) vicedecano
i) bicéfalo
j) bicentenaria

EJERCICIO 27

a) octavo
b) esclavo
c) bebé
d) breve
e) compasivo
f) bravo

g) decimoctava
h) recibo
i) derrumbe
j) activo
k) nueva
l) decisiva

EJERCICIO 28

1	C	A	R	N	I	V	O	R	O
2	T	R	I	U	N	V	I	R	O
3	H	E	R	B	I	V	O	R	O
4	V	I	B	O	R	A			
5	C	A	R	N	I	V	O	R	A	S
6	A	U	R	I	V	O	R	O		

EJERCICIO 29

a) vuelto, ver
b) disolvió
c) absorbió

d) absolvió
e) disolver
f) Resolvimos

g) vuelve
h) Elvira, resolvía
i) revuelto

EJERCICIO 30

a) estuviera

b) estaba

c) tuviéramos

d) estuvieron

e) voy

f) Mantuve

g) sostuvieran

h) Ve

EJERCICIO 31

a) suave, lavar

b) objetivo, Covadonga

c) Adviento, Navidad

d) Álvaro, subvalorado

e) grabar, varón

f) víbora, tuve

g) desgrava

h) ver, Ávila

i) haber, hablar

j) *Rebelde,* viejos

k) nuevo, revelado

l) bicicletas, baca

m) vacas, hierba

n) tubo, decisivo

ñ) savia, verde

o) vienes, olvides

p) bienes, estaba

q) bella

r) vello, motivos

s) bota

t) votamos

u) bobina, burdeos

v) bovina, buena

w) sabia, descubrió, bacilo

x) lívida, Biología

y) libido

z) debas, recabar, barones

EJERCICIO 32

a) váter / wáter (en el *Diccionario* de la Academia se recoge solo la forma *váter),* motivos

b) bate, tuvo

c) darwinismo / darvinismo

d) waterpolo, estuvieron

e) whisky (güisqui), abrirla

f) Walia / Valia

g) watio / vatio (en el *Diccionario* de la Academia se recoge solo esta última forma)

h) vate

i) windsurf

EJERCICIO 33

a) acción policial
b) tictac, satisfacción
c) adicta
d) juez, atención
e) Resurrección

f) diccionario
g) anorak
h) objeción, director
i) inyección
j) adición

k) adicción, dirección
l) ciega, distracción
m) electores

EJERCICIO 34

a) elección
b) aflicción
c) coacción
d) conducción

e) construcción
f) contracción
g) convicción
h) reacción

i) restricción
j) inducción

EJERCICIO 35

a) Abracé
b) asada
c) azada

d) taza
e) actas
f) elecciones

g) sepas
h) cepa

EJERCICIO 36

a) **k**árate, 7
b) **k**ilo / **qu**ilo, 6
c) **k**rausismo, 5

d) **k**irie / **qu**irie, 2
e) **k**éfir, 1
f) **k**arateca, 4

g) **k**imono / **qu**imono, 3

EJERCICIO 37

a) quebró, cabeza
b) quemadura, cicatriz
c) quemarropa
d) quejica
e) caliente, quita
f) kilómetro / quilómetro (cierta preferencia por la primera forma)
g) quijotadas
h) kiosco / quiosco (se prefiere la segunda forma)
i) folclore / folklore (se prefiere la primera forma)

EJERCICIO 38

a) **qu**erer, 7   d) **c**uidado, 8   g) pes**qu**is, 2
b) **qu**ijote, 6   e) **c**uentas, 1   h) **qu**inta, 3
c) **qu**icio, 4   f) **c**uello, 5

EJERCICIO 39

a) conducción, distracción   f) bistec
b) crápula, nocturnas   g) prohibición
c) traición   h) biquini / bikini (se prefiere
d) fracción   la primera forma)
e) clara   i) exhibición

EJERCICIO 40

a) puercos, 2   e) **Cr**uz, 7   i) **cr**ío, 8
b) **V**alencia, 9 f) **Qu**intín, 10   j) **qu**ite, 12
c) **Cr**isto, 6   g) **cr**edo, 4   k) **cr**esta, 1
d) **cl**avo, 5   h) **cr**édito, 3   l) **qu**ita, 11

EJERCICIO 41

a) Encima, puzzle   g) zelandés / celandés (se prefie-
b) aztecas, medicinales   re la primera forma)
c) enzima, centeno   h) zigzaguea
d) haces, circo   i) juez
e) cabecero   j) eficaces
f) lapiceros

EJERCICIO 42

Comer en España es un verdadero pla**c**er que está al alcance de cualquier persona que visite este país, y de ninguna forma se trata de un deleite que sólo puedan disfrutar unos pocos, ni es necesario recorrer muchos **k**ilómetros / **qu**ilómetros.

A lo largo del territorio español encontramos una surtida variedad de productos que poseen denominación de origen. Mucha de la produ**cc**ión local sigue la normativa de cualquier **j**ue**z** internacional de calidad.

Así, si queremos comer y beber cosas propias de las tierras españolas, iniciaremos nuestra elección, por ejemplo, con un aperitivo de chorizos o unos **quesos** típicos y unas aceitunitas de cualquier región que podemos acompañar con un buen vino. Si preferimos pasar directamente a la comida, comenzaremos nuestra degustación con unos buenos espárragos de Navarra o un plato de arroz del Delta del Ebro o de la costa levantina, para continuar con un buen chuletón de carne de Ávila o un lechazo de Castilla-León que se puede adquirir en cualquier carnicería, o bien con un buen pescado recién capturado.

Tal vez se prefiera degustar un plato de legumbres o verduras del norte de España: la fabada de Asturias o cualquier menestra de La Rioja puede saciar nuestro apetito. No olvidemos dar instrucciones muy precisas para que todos los alimentos sean cocinados con aceite de oliva, verdadero oro líquido de nuestra cultura.

Para terminar se elegirá cualquier postre dulce de los muchos que conocemos, aunque quizás se prefieran las frutas. Mis favoritas son las deliciosas cerezas de Extremadura y el riquísimo plátano de Canarias.

EJERCICIO 43

a) lápiz – 2. lapicito, 3. lapicero

b) cazar – 4. cacería

c) pizza – 8. pizzería

d) cerveza – 5. cervecita, 6. cervecería

e) dulce – 7. dulcería, 12. dulcecito

f) loza – 1. locero

g) nuez – 9. nuecero

h) garbanzo – 10. garbancero

i) romance – 11. romancero

j) sincero – 13. sinceridad

EJERCICIO 44

a) altramuz, 5
b) zona, 1
c) beneficiario, 11
d) puzzle, 4
e) cacereño, 7
f) zapato, 8
g) zarcillo, 9
h) zurdo, 10
i) bloc, 3

j) cabezazo, 2
k) bizarro, 6
l) luz, 16
m) coz, 15
n) maíz, 14
ñ) frac, 17
o) estrechez, 13
p) eficaz, 12

EJERCICIO 45

a) cigüeña
b) guante
c) garaje, atestiguaron
d) lengüeta
e) gimnasia
f) averigües
g) paraguas, guarda, paragüero

h) averiguar
i) fragüé
j) halagüeño
k) girasol
l) vergüenza
m) agencia, gestiona, Guinea
n) relámpagos

EJERCICIO 46

a) gesto
b) geometría
c) generación
d) legión
e) gesticules
f) ginecóloga

g) legislación
h) genio, generado
i) geografía
j) gesta
k) lejía
l) ginebra

EJERCICIO 47

a) gestación
b) gestiones
c) geólogos
d) genealógico

e) génesis
f) genes
g) legítimo

EJERCICIO 48

a) fotogénico
b) higiénica
c) Angélica
d) ingenio
e) virginales
f) aguajinosa
g) magia
h) *prodigiosa*
i) exigente

j) imagen
k) regional
l) regia
m) cronología
n) prestigioso
ñ) octogenario
o) hemorragia
p) espejismo
q) legionarios

r) imaginaria
s) pedagogía
t) patológico
u) primogénito
v) crujían
w) ligera
x) pasajeros
y) liturgia
z) vigente

EJERCICIO 49

a) indígena, 8
b) alígera, 7
c) cancerígeno, 2
d) oxígeno, 9
e) trilogía, 4
f) vigésimo, 1

g) aborigen, 3
h) demagogia, 5
i) alienígena, 6
j) nostalgia, 10
k) flamígero, 11

EJERCICIO 50

a) neuralgia
b) origen
c) aborigen
d) cartilaginosos
e) vertiginosa
f) plagio

g) fotogénica
h) cinegética
i) religiosos
j) analogía
k) nostalgia
l) oxígeno

EJERCICIO 51

a) globo, 2
b) grafía, 3
c) benigno, 5
d) granuja, 4
e) consigna, 8

f) glucosa, 7
g) dogma, 6
h) gruñido, 1
i) greña, 9

EJERCICIO 52

a) prodigio, 2

b) gel, 4

c) gaita, 5

d) gallina, 3

e) signo, 1

f) indignar, 6

g) gato, 7

h) religión, 10

i) garbanzo, 8

j) lengua, 11

k) jamón, 9

EJERCICIO 53

a) cogió

b) protejan

c) dirijo

d) dirige

e) Elegí

f) Elige

g) rige

h) afliges

i) tejieron

j) surgió

k) crujir

EJERCICIO 54

a) ingerir, 2

b) injerirte, 10

c) gira, 4

d) jira, 3

e) gribaltareños (aunque es posible escribir jibraltareños), 9

f) garaje, 5

g) injerencia, 8

h) extranjero, 7

i) bricolaje, 6

j) herejes, 1

EJERCICIO 55

a) magnolias

b) Ignacio

c) gnomo / nomo (se prefiere la primera)

d) magnesio

e) signo

f) agnóstico

g) magnetófono

h) dogmas

EJERCICIO 56

a) germen
b) legal
c) legumbres, ingerir
d) legendaria, gnomos / nomos
e) sugerir
f) contagio, higiénicas
g) apoplejía
h) gente
i) aerofagia
j) berenjena
k) enajenado
l) bujías
m) urgencias
n) energía
ñ) paradójico, ganar
o) gendarme
p) anginas
q) espejismo
r) pingüinos
s) fingido
t) registro
u) exigía
v) dirija, negocio
w) afligido, analgésicos
x) antigüedad
y) trigésimo

EJERCICIO 57

a) jamón
b) gatos, alergia
c) juicio, agosto
d) joya
e) Juan, Angustias
f) judicatura, legislación
g) judíos
h) jarrón
i) dijo

EJERCICIO 58

a) tejes
b) cónyuge
c) brujería
d) contrarreloj
e) oleaje
f) esqueje, jardín
g) relojería
h) monje, imagen
i) viaje, guía
j) eje
k) encaje
l) conserjería

EJERCICIO 59

a) jabón, 3
b) Jamaica, 4
c) jefe, 5
d) jaspe, 6
e) jornal, 2
f) rojo, 7
g) vieja, 1
h) oveja, 9
i) judío, 10
j) caja, 8

EJERCICIO 60

a) brebaje
b) **globo, global**
c) granjero, ovejas, granja
d) reloj, Ignacio, relojero
e) botijero, botijos

f) cortometraje
g) chantaje
h) pelirroja
i) rejuvenecer
j) **guantazo**

EJERCICIO 61

a) trabajo
b) teja
c) mojamos
d) regocijado

e) deje
f) rebajaras
g) crujan

h) maneje
i) moje
j) entretejer

EJERCICIO 62

a) cojear, 3
b) carcajear, 4
c) homenajear, 6
d) trajear
e) pintarrajearse, 8

f) chantajear, 2
g) canjear, 7
h) lisonjear, 9
i) ojear, 1
j) hojear, 10

EJERCICIO 63

a) adujera
b) recondujera
c) reproduzcas (no lleva *j* porque es presente de subjuntivo)
d) Seduje
e) Dijo
f) aduje
g) dedujera
h) conduciré (no lleva *j* porque es futuro imperfecto de indicativo)
i) Condujimos
j) dijeron
k) traje
l) trai**g**o (no lleva *j* porque es presente de indicativo)

EJERCICIO 64

Estaba muerto por in**g**erir comida en mal estado. Mi cuerpo tenía una temperatura **g**lacial. Durante mi entierro mi amigo Genaro

Granells había pronunciado un panegírico maravilloso, y el cura sólo hablaba del dogma de la existencia del cielo, en el que vivían los ángeles, y del infierno, en el que moraban los seres malignos.

No sabía que hubiera sido tan buena persona. Estaba claro que me esperaba un porvenir angélico, y no lo pensé más. En la sala de espera todo era blanco e higiénico, y en la larga fila que formábamos los difuntos yo era el número trigésimo. Todo era un poco raro: esperaba una luz, un túnel y, sin embargo, subimos en un tren. Una vez allí, una voz enérgica nos comunicó que íbamos a iniciar una gira por la otra vida hasta nuestro destino.

Por el camino algunos difuntos comenzaron a discutir sobre esta extraña forma de llegar a la vida eterna. Yo no quería hablar porque aquel paisaje me recordaba a mi Granada natal y, a lo mejor, ésta era mi forma de vivir el cielo. El tren avanzaba y el ambiente se volvía más flamígero. No me parecía lógico y me acerqué a uno de mis compañeros de viaje para preguntarle:

—¿Conoce usted el destino de este tren?

—No lo sé, aunque esto se detiene, así que pronto lo sabremos.

Tenía razón. Al poco nos bajamos de los vagones y, al hacerlo, me enganché en la puerta y se me hizo un jirón en la ropa. Intenté detenerme para comprobar el desgarrón; pero un señor con pinta de jefe me empujó diciendo:

—No se detenga, que va a salir el siguiente tren de inmediato.

Me di mucha prisa y en el nuevo tren iniciamos un nuevo viaje. Y esto una vez y otra. De momento ya me he montado y me he bajado de 250 trenes. Ahora he comenzado a viajar en autobús. Después de esta experiencia, tengo clara una cosa: ¡Estoy en el purgatorio!

EJERCICIO 65

Madrid, 7 de enero de 2002

Querida hermana:

Espero que te encuentres muy bien cuando recibas estas líneas y que tanto tú como los tuyos hayáis pasado unas buenas vacaciones de Navidad alojados en tu nueva casa de Sidney. ¡Qué suerte vivir en el extranjero!

Yo estoy cada día más centrada en mi empeño por ser una buena dibujante, pero las cosas se complican cuando las musas pasan de mí y no se me ocurre ninguna buena historia que dibujar. En esos días, me siento en mi sofá color berenjena para relajar los músculos, mientras me pregunto si las musas están de vacaciones por el Caribe, y me pongo a soñar despierta.

Por esta razón, algunas veces, cuando me levanto cada mañana, mamá me dispone una lista entera de recados que tengo que hacer antes del mediodía porque no ficho en mi trabajo: baja a comprar el pan, ayúdame con la madeja de tejer, acompáñame a las rebajas, saca al perro, sube la compra del híper, averigua la hora de la telenovela, etc.

Como ves, hermanita, estoy cada día muy entretenida y no renuncio del todo a mi idea de dedicarme profesionalmente al dibujo; pero el día menos pensado, como soy la benjamina de la casa y no tengo grandes responsabilidades, me lío la manta a la cabeza y te voy a ver a Sidney. ¿A ti qué te parece? Contéstame, guapetona.

Te quiere tu hermana pequeña,

Guiomar

EJERCICIO 66

a) Hagas, hagas
b) Has
c) hallaría
d) han, hablado
e) hubiera, hablaría
f) habite
g) hablando
h) habitar
i) hace
j) hallo
k) hago
l) rehacer

EJERCICIO 67

a) hielo
b) óseo
c) hiedra
d) hiel
e) deshuesar
f) hierba
g) huemul / güemul
h) hueco
i) hiena
j) huéspedes
k) inhóspito
l) rehacer
m) olores
n) hojaldre
ñ) orfanato
o) hierático

EJERCICIO 68

a) adhesivo, hospital

b) ósea

c) ahuyentan

d) vehemencia, inhibió

e) cacahuetes, hechas

f) eché

g) prohibido

h) olores, bahía

i) bohemio, rehusaba

j) vehículo, habría

k) zanahorias, a, horas

l) almohadas, errar

m) cohete, honda

n) ojear

ñ) alcahueta

EJERCICIO 69

a) desecho, 2

b) hematoma, 3

c) hidratar, 9

d) heterosexual, 8

e) hemiciclo, 6

f) uso, 16

g) hemoglobina, 4

h) heptágono, 7

i) hemisferio, 5

j) óvulo, 10

k) hemofílico, 1

l) hipermercado, 12

m) hipocondríaco, 13

n) herrar, 15

ñ) holocausto, 14

o) homonimia, 11

EJERCICIO 70

Aunque mucha gente nos mira con compasión, yo particularmente estoy muy orgulloso de ser como soy. Entre otras ventajas tenemos las siguientes: somos hermafroditas y nunca tenemos problemas sexuales. También, gracias a la escasa velocidad de nuestros movimientos, nos evitamos más de una hernia.

Además, no necesitamos hogar, ya que nos hospedamos en nuestra propia concha. Y lo mejor: nunca estamos solos porque tenemos decenas de hermanos que tienen el mismo aire de familia.

Ese parecido es fuente de inspiración para muchos dibujantes, y eso que para algunos somos feos, aunque la hermosura es cuestión de gustos. Quizá el que no seamos tan populares nos ayude a ser más humildes.

En cuanto a nuestro cuerpo, los más remilgados sólo se fijan en que es húmedo, y nos consideran material de desecho. Pero esto nos proporciona una gran comodidad y nos evita heridas y roces.

Además, a la **h**ora de comer no somos muy molestos: con una gran **h**ogaza de pan tenemos comida para toda la vida.

Un punto negro en esta **h**istoria es que nos entra la **h**isteria cuando nos empujan a una **h**oguera, pero el resto del tiempo somos de lo más tranquilos. ¡Ba**h**, para otros las prisas y las complicaciones! Yo me quedo con mi vida de caracol.

EJERCICIO 71

a) huso	h) hojear
b) ilación	i) hato
c) olas	j) izo
d) abría	k) oras
e) errar, hasta	l) haya
f) echo	m) habría
g) hecho	n) horas

EJERCICIO 72

Cuando me levanté de la cama, me di cuenta de que anoche había dejado el cigarrillo consumiéndose sobre la mesilla, que estaba rayada por el continuo uso. "Este despiste podía haber provocado un incendio", masculló con mucha pereza. Encendí la única bombilla que alumbraba la diminuta habitación del hotel en el que me encontraba porque aún no se veía con claridad. La ventana tenía una cortina muy apolillada y en el exterior la tormenta seguía descargando lluvia y rayos.

Al incorporarme, un fuerte dolor en las costillas me recordó la paliza del día anterior. Aquel tipo, "el Pollo de los Arenales", golpeaba muy fuerte. Mi entrenador no me había avisado de nada extraño; al contrario, me había asegurado que sería una pelea sencilla. Y a la chita callando me concertó un combate; pero aquel "pollito" tenía unos grandes brazos que parecían morcillas y sus puños eran duros como rocas.

Aun así podía haber ganado, ya que su mandíbula era blanda como arcilla. Yo al principio me movía con rapidez, ágil como una ardilla, y esquivaba todos sus golpes mientras me chillaba mi entrenador.

Uno de esos golpes impactó en mi cara. Como siempre, bajé la guardia, y muchos golpes me obligaron a doblar la rodilla. ¡No sé quién demonios me enseñó a mí a poner siempre la otra mejilla!

EJERCICIO 73

a) arroyo

b) hoya

c) valla

d) poyo

e) pullas

f) Hallamos

g) maya

h) cayó

i) malla

j) olla

k) ralla

EJERCICIO 74

a) **e**

b) ensayar

c) huyendo

d) Estoy, disyuntiva

e) inyectaba

f) **y**endo

g) re**y**es

h) concluye

i) cayendo

j) muy, **y**, callado

k) guirigay

l) Caray

m) Fray

n) samuray / samur**ái** (se prefiere la segunda)

ñ) **y**, maya

o) contribuyan

p) distribuyan

q) papagayo

r) escayola

s) bayetas

t) Ayer, arroyo, **y**

u) pollo, cayó

v) oyeras, hallazgo

w) Ayer, cayeron

x) leyera

y) proveyeran

EJERCICIO 75

a) vallar

b) hallazgo

c) bellotas

d) boya

e) ayo

f) gallo

g) grillo

h) reyerta

i) tocayo

j) pillas

k) yugo

l) yerros

m) yerno

EJERCICIO 76

(En un banco se encuentran Otilia y Teresa.)

OTILIA: Hola, ¿qué haces por aquí? ¡Qué ganas tenía de verte para invitarte a una fiesta!

TERESA: Vengo a pedir hora para hacer la declaración de la renta.

OTILIA: ¿Y tu hijo Abraham? Me dijeron en el mercado que fue el campeón de las olimpiadas infantiles.

TERESA: Sí, es verdad. Si hubieras visto a su padre entusiasmado, loco con su hijo. Hoy mismo están los dos de excursión en el campo con los alumnos de mi marido, y por eso aprovecho para arreglar los papeles de Hacienda.

OTILIA: ¿Qué número tienes? Yo, el ochenta y seis.

TERESA: Pues asómbrate: yo, el ciento seis. Me tocará esperar un rato. Y yo con este impermeable mojado. En fin, espero que la vitamina C que me estoy tomando haga efecto.

OTILIA: Mañana celebramos el cumpleaños de Ambrosio. ¿Vendrás al cumple? Será en la cafetería San Sebastián.

TERESA: Por supuesto, dame una tarjeta, porque te confieso que no tengo memoria. Estoy haciendo ejercicios mnemotécnicos / nemotécnicos, pero no funcionan. ¿Crees que los rabos de pasa serían más efectivos?

OTILIA: Debe de ser cosa de la edad, o de las muchas cosas que queremos hacer. Todo el día en la calle haciendo recados. Lo raro es que no nos dé una embolia o cualquier otro arrechucho.

TERESA: ¡Ay, Dios mío! Me tengo que marchar. Me he dejado la cartera en el mercado. ¡Hasta pronto, te veré otro día! Voy a ver si pillo el tranvía de las once.

EJERCICIO 77

a) negra, 3

b) guitarra, 6

c) brasas, 2

d) barro, 7

e) tris, 5

f) carro, 8

g) cobre, 1

h) secreto, 9

i) derretirse, 4

j) inri, 10

EJERCICIO 78

Hoy es sábado y he prometido hacer una paella para el vice-rrector de la Universidad de Verano. Me he levantado a las 8.00 horas porque no tengo ni el arroz. Por eso he decidido ir al extra-rradio de mi ciudad, a un hipermercado. He buscado con muchos apuros una ropa sin arrugas porque la plancha se me ha roto y, co-mo no quería ir sola, he llamado a mi hermana Enriqueta, pero no quería ir.

A las 10.00 horas he arrastrado, literalmente, a mi sobrino Adrián para que me ayudara a cargar con el carro de la compra, por-que mi querida hermana se ha negado a sumarse a esta aventura. Iba con idea de arrasar y de hacer la compra del año.

A las 10.45 horas, he tomado la carretera del norte; pero an-tes me he acercado a una tienda que vende flores, y he comprado dos ramos de rosas.

A las 11.40 horas, he ido a la pastelería y he encargado una magnífica tarta de yema de huevo. Allí me he encontrado con mi amiga Marisol y he estado hablando con ella del último arrechu-cho que le dio a su madre.

A las 13.30 horas, al comprobar la hora que era, se me ha ocu-rrido tomar un atajo, y he podido comprobar que otros muchos conductores habían tenido la misma idea que yo, porque las reten-ciones eran impresionantes.

¿Qué puedo hacer? ¡Ya sé!, llamaré a "Arroceros veloces" y encargaré una paella de marisco. ¿Por qué no lo habré hecho antes?

EJERCICIO 79

"Espero que no sea tarde", dije mientras buscaba apresurada-mente mi nave. Debía haberle hecho caso al comandante, y no correr como si fuera un galgo. No había otra explicación: el exceso de velocidad me había impedido fijar las coordenadas con exacti-tud y me había pasado de mi destino dos sistemas planetarios.

Para colmo, en este país los seres vivos respiran oxígeno extra-ordinario; pero para mí éste es una toxina, por lo que debía apre-surarme y no extralimitarme con el tiempo que me quedaba de vida. Los habitantes de este planeta no podían ayudarme porque tienen una forma de expresión muy primitiva y mi petición de socorro se podría entender fuera de contexto como algo distinto.

Pero lo peor es que ahora están de moda en esta cultura los extraterrestres y, como soy un marciano, me convertí en una verdadera atracción de feria.

Por fin, encontré la nave entre las matas que olían a espliego. La atmósfera también la había afectado y estaba cubierta de óxido. Por fortuna, pude arrancar los motores, y extrapolando las coordenadas de ruta, puse rumbo a mi hogar.

Cuando aterricé me sorprendió una pintada en el fuselaje de mi nave: "¡Marcianos y extraños fuera!".

¡Maldita xenofobia!

EJERCICIO 80

a) clímax

b) conexión

c) cohesión

d) esófago

e) espléndido

f) sexo

g) estirpe

h) estrafalaria

i) tesis

j) exhibe

k) escrutar

EJERCICIO 81

a) etnología, 5

b) caridad, 4

c) exactitud, 2

d) admirar, 3

e) amistad, 1

f) amad, 6

EJERCICIO 82

a) seudónimo

b) pseudocientífico / seudocientífico

c) trasatlántico / transatlántico

d) transvase / trasvase

e) prever

f) reencuentro

g) reedición

h) transparencia / trasparencia

i) posguerra / postguerra

EJERCICIO 83

a) Dé	i) se	p) té
b) más	j) Sé	q) Cuántos
c) Él	k) tu	r) Qué
d) de, de	l) mi, si	s) dónde
e) El	m) *sí*	t) Por qué
f) mas, cómo	n) Sé	u) Aún
g) mí	ñ) sé	v) porque
h) Te	o) cuánto	w) él

EJERCICIO 84

a) época	j) exhibía	r) trabajos
b) en	k) bebiendo	s) deje / dejé
c) España	l) de	t) mamá
d) mundo	m) caño	u) tórax
e) muñeca	n) decoración	v) trópico
f) tío	ñ) además	w) devuélvelo
g) bisoñé	o) nadie	x) ojalá
h) salón	p) aun / aún	y) tesis
i) sobre	q) dos	

EJERCICIO 85

a) ciática	n) bien
b) rodapié	ñ) cuídate
c) actual	o) pauta
d) trauma	p) escuálido
e) interviú	q) muéstramelo
f) estoy	r) peine
g) terapéutico	s) hueso
h) viuda	t) fuimos
i) seis	u) cliente
j) columpiéis	v) vieseis
k) naútico	w) oficio
l) miércoles	x) triunfo
m) huésped	y) adecuo

EJERCICIO 86

a) Raúl
b) ahí
c) vaho
d) búho
e) piano
f) Díaz
g) reíd
h) aduana
i) viaje
j) dúo
k) reí
l) acentúalo
m) actúe
n) feúcho
ñ) liar
o) heroína
p) arcaísmo
q) río
r) aunar
s) día
t) muy
u) tenue
v) baile
w) fuimos
x) ciudad
y) oído

EJERCICIO 87

a) viéndolo
b) socioeconómico
c) jurídico-social
d) Ángela
e) accésit
f) solamente
g) dame
h) averiguolo
i) tiovivo
j) quórum
k) Nápoles
l) franco-alemán
m) veintidós
n) baloncesto
ñ) mírame
o) estate
p) fielmente
q) Perú
r) erróneamente
s) dámelo
t) Támesis
u) México
v) Asís
w) memorándum
x) bidé
y) carné

EJERCICIO 88

Si vas a comprar más pescado al mercado, debes tener en cuenta varias indicaciones de mi libro *El arte de comprar*. Por ejemplo, si quieres pescado fresco, debes fijarte no sólo en su piel, aunque es muy importante que ésta sea brillante, sino también en su carne, que debe ser firme, elástica y uniforme. Aún te queda ver cómo están sus ojos, que han de tener las pupilas negras y brillantes.

Por último, y quizás lo más importante para mí: si puedes verles las branquias, observa que éstas sean de color rojo intenso.

Sin embargo, el marisco debe tener otro aspecto. Si es crudo, su cuerpo deberá ser firme y brillante. La cabeza estará bien pegada al cuerpo y será del mismo color. Ahora bien, si el marisco está cocido, yo sé que debo asegurarme de que esté recién cocido y de que su aspecto sea homogéneamente terso, con su color natural.

EJERCICIO 89

Afortunadamente, en los colegios españoles ya no se enseña la lista de los reyes godos. Se trataba de una larga lista, con nombres muy difíciles para la fonética de un niño o de un adolescente; pero, además, estos reyes y sus hechos no son un buen modelo para nuestros hijos.

El primer rey godo fue Ataúlfo (410-415), que conquistó Tolosa y Barcelona; pero también se le recuerda porque hizo prisionera a la hermana del emperador romano de occidente Honorio, y por esta razón lo mataron. A éste le sucedió Sigerico (415), que estuvo sólo siete días hasta que también fue víctima de un asesinato. Su permanencia de una semana no se supera a lo largo de la historia, pero sí se aproxima a los treinta días que duró Recaredo II.

Después tomó el poder Walia (415-419). Este nuevo rey devuelve a la prisionera; pero a pesar de parecer más sensato, su reinado no perdura en el tiempo, ya que no llega a los cuatro años.

Todavía hay peores ejemplos, como Turismundo (451-453), Teudiselo (548-549), Leovigildo (573-586), Liuva II (601-603), Gundemaro (610-612). Hasta Don Rodrigo (710-711), que dura solo un año, muchos son los reyes que intentan gobernar la llamada piel de toro (la península Ibérica).

La suma total de soberanos godos asciende a 34 reyes en trescientos años. Si hacemos cálculos, a cada monarca le corresponden nueve años de reinado. Pero como siempre que se establece una regla surgen las excepciones: Suintila (621-631), Chindasvinto (642-653) y Wamba (672-680).

La mejor época de los visigodos es la de los reinados de Leovigildo (573-586) y de su segundo hijo, Recaredo I (586-601), porque a su primer vástago lo matan los nobles. El primero consigue la unificación territorial, y fija la capital en Toledo. El segundo se hace bautizar y, en el año 589, convierte al catolicismo a toda la Península.

EJERCICIO 90

Mi nuevo jardinero era un señor jubilado de setenta años que amaba todas las labores de jardinería, y que trataba cada planta como si fuera una joya que le servía de inspiración. Pero, sobre todo, era un amante de la cultura judaica.

Su nombre era Juanito Pérez, y había sido ayudante de un juez muy famoso en la judicatura de este país. Desde siempre había escrito poesía y se había presentado a multitud de juegos florales. Otra de sus pasiones era conocer cosas sobre los sefardíes que abandonaron España a finales del siglo XV. Y, por eso, con frecuencia visitaba las juderías. Siempre me traía algún recuerdo de estos viajes a Toledo. Él decía que estas aficiones lo mantenían joven.

Un día, yo estaba leyendo el dominical del periódico y me enteré de que en algunas zonas de Marruecos y de la Europa oriental, unos investigadores habían descubierto un pequeño grupo de mujeres que sabían muchos romances y cantares parecidos a las jarchas recitados en español antiguo; sin duda, eran descendientes de aquellos judeoespañoles.

Enterado Juanito, aprovechó sus vacaciones de julio y se fue a Marruecos. Estaba tan contento y fascinado por su experiencia, que se convirtió en un experto viajero, ya que desde ese momento comenzó a visitar todos los países de Europa con huella judía. Creo que había nacido un nuevo compilador de romances sefardíes.

EJERCICIO 91

Era el mejor momento para comprar el piso de mis sueños. Por eso, decidí ir al Banco Hipotecario a pedir un préstamo. Cuando entré en la entidad bancaria la cola era tremenda. Me senté en un huequecito junto al mostrador del fondo, y ya no estaba tan animado. Pero llevaba muchos años en casas ajenas: primero, en el hostal, comiendo bocadillos y platos recalentados porque siempre llegaba tarde por mi trabajo. Por culpa de esta mala alimentación había desarrollado una gastritis que me perforó el estómago.

Luego me fui a un piso, pero era muy viejo, y el casero parece que tenía un bolsillo hipertrofiado, porque sólo aumentaba de tamaño. Jamás hacía una reforma, así que su cartera no "adelgazaba".

Hace varios meses comencé a buscar piso. Estuve en varios y algunos parecían una habitación de un hospital de la Seguridad Social por lo pequeños que eran. Hace una semana encontré un pisito de 30 metros cuadrados con dos habitaciones y un baño. "No es una mansión, pero se puede habitar, y con lo hogareño que soy pronto lo convertiré en mi hogar", pensé.

Sin darme cuenta, llegó mi turno en la cola. El empleado del banco me pidió la nómina del último mes con cierta hostilidad y empezó a asombrarse cuando le comenté que no tenía, que trabajaba en distintos sitios. Con cierta resignación, el bancario me preguntó por mis ingresos mensuales. Yo le expliqué humildemente que éstos eran de unos 500 euros. Me pidió entonces el número de una cuenta corriente, me preguntó por un posible aval, por otras propiedades... Le respondí que no tenía nada de eso, pero que era muy honrado, que mi moral era la de un gentilhombre, y que no debía dinero a nadie.

En ese mismo momento, el empleado dejó de tomar mis datos y me aconsejó que me fuera a vivir con un familiar más pudiente, porque yo no tenía ninguna posibilidad de éxito.

Salí del banco y me apené momentáneamente porque era huérfano y no tenía familiar que me avalara. Pensé que para qué servían los bancos si te piden antes el dinero que te van a prestar. No tendría otro remedio que ser práctico, buscarme otro trabajo más, conseguir un sobresueldo y seguir intentándolo.

EJERCICIO 92

Hijo de pescadores y nieto de pecadores, a Víctor no le quedó más remedio que aceptar el sino familiar y embarcarse al terminar los estudios en el barco *Juan y Ana,* aunque no fuese ése su futuro ideal. A nuestro protagonista le encantaba la carne; aún más, odiaba el pescado desde su más tierna infancia. No soportaba ni las sardinas. El marisco le producía un fuerte malestar y sólo verlo le hacía tener pesadillas por las noches, aunque había intentado superar este trauma en múltiples ocasiones.

Pero a fuerza de ir a ver a sus hermanos, a sus tíos y sus primos, todos ellos marineros, Víctor conocía todos los oficios de la mar: cómo enfilar la carnada, cómo desmallar los peces de la red, etc.

Su ilusión era llegar a ser pastor de cabras, de esos de cayado y zurrón, andar entre la yerba o dedicarse a labores agrícolas. La enemistad entre el mar y él era evidente; pero quién se lo iba a decir a su padre, un hombre rudo, que se llevaría un gran disgusto, aunque algún vecino, compadecido del chiquillo, ya le había comentado que Víctor no era precisamente un aguerrido hombre de mar.

El tiempo pasaba y en el barco aguantaba las puyas de sus compañeros: "¡Ahí te va ese lenguado!", le decían arrojándole el pescado a los brazos, y Víctor prácticamente se desmayaba. Mas con sus estancias en tierra firme se desquitaba: con su primer sueldo en la mano, salió como un rayo hacia un asador de carne, en el que pidió dos chuletones que devoró rápidamente.

Tras el último viaje pasó una semana en tierra, durante la cual siguió una estricta dieta de cerdo, pollo y solomillo con alguna que otra ensalada. Pero se acercaba de nuevo el momento de embarcar y Víctor buscaba una excusa para poder librarse de tan pesada carga familiar.

Varias ideas le pasaron por la cabeza, pero no sabía si éstas lo iban a ayudar. "Estoy en un aprieto", pensaba. "Diré que estoy enfermo, que tengo una afección vírica, que me he metido en una secta..., lo que tengo claro es que no voy a volver a esa embarcación. Pero ¿cómo lo arreglo?, ¿qué puedo hacer...? Es el peso de la tradición familiar..."

—¡Vaya, se me está ocurriendo algo que podría ser definitivo!

A los tres días llegó la hora del embarque. Allí se presentó Víctor irreconocible, envuelto en una túnica de color claro, descalzo y con la cabeza completamente rapada.

—¡La paz sea con vosotros, compañeros! Sólo vengo a deciros que me voy en busca de la verdad. Me retiro del mundanal ruido. Me dedicaré a la vida ascética. Ya tendréis noticias mías desde el Tíbet.

—¡Ángela María! Pero, Víctor, chiquillo, ¿qué te ha pasado?

El resto de la tripulación quedó boquiabierto por el cambio de Víctor. "La mar debe de haberlo trastornado", pensaron. Y decidieron dejarlo en tierra.

EJERCICIO 93

Cuentan las crónicas que al rey le gustaba disfrazarse. En carnavales, se cubría el rostro con una máscara que cambiaba siempre que podía porque le gustaba conocer la verdadera personalidad de sus súbditos. De este modo, vestido de mendigo, descubrió una vez a un espía del país vecino, consiguió en otra ocasión acallar un levantamiento popular y vio también cómo la cocinera se comía muchos de los manjares que los cazadores reales traían para él y para su familia.

Pero lo mejor estaba por llegar. Un martes de Carnaval todos en la corte preparaban magníficos disfraces, incluido el rey.

Nadie, absolutamente nadie, sabía con qué aspecto se presentaría el monarca. Esa ignorancia jugó a su favor: eran las 5 de la tarde y la reina estaba en el palco de la plaza viendo los toros. Estaba hermosísima, se había vestido de hada madrina y eso agradó al rey, que, sin hacer ruido, se acercó a su esposa y se sentó en el asiento que un joven conde, a una señal de su criado, había dejado libre.

Cuando estuvo acomodado, el rey, disfrazado de noble, se dedicó a observar de cerca los gestos de su mujer. Al rato de permanecer detrás de ella, se acercó y le dio un beso en el cuello mientras le decía:

—No te preocupes, ladrona de mi corazón, que soy yo.

Y ella le contestó sin remilgos:

—¡Cómo os echaba de menos, querido conde...!

La sangre del rey se heló. Cuentan que el conde fue desterrado a un lugar lejanísimo, y que la reina, sospechando su metedura de pata, jamás osó preguntar por él ni por su paradero.